大家小书

中国戏曲

么书仪 著

北京出版集团公司
北京出版社

图书在版编目（CIP）数据

中国戏曲／么书仪著. — 北京 ：北京出版社，2017. 10

（大家小书）

ISBN 978 - 7 - 200 - 13144 - 4

Ⅰ. ①中… Ⅱ. ①么… Ⅲ. ①戏曲史—研究—中国—古代 Ⅳ. ①J809. 22

中国版本图书馆 CIP 数据核字(2017)第 165267 号

·大家小书·

中国戏曲

ZHONGGUO XIQU

么书仪　著

*

北京出版集团公司　北京出版社　出版

（北京北三环中路 6 号　邮政编码：100120）

网址：www. bph. com. cn

北京出版集团公司总发行

新华书店经销

北京华联印刷有限公司印刷

*

880 毫米×1230 毫米　32 开本　8.75 印张　147 千字

2017 年 10 月第 1 版　2022 年 12月第 3 次印刷

ISBN 978 - 7 - 200 - 13144 - 4

定价：38. 00 元

如有印装质量问题，由本社负责调换

质量监督电话：010 - 58572393

序　　言

袁行霈

“大家小书”，是一个很俏皮的名称。此所谓“大家”，包括两方面的含义：一、书的作者是大家；二、书是写给大家看的，是大家的读物。所谓“小书”者，只是就其篇幅而言，篇幅显得小一些罢了。若论学术性则不但不轻，有些倒是相当重。其实，篇幅大小也是相对的，一部书十万字，在今天的印刷条件下，似乎算小书，若在老子、孔子的时代，又何尝就小呢？

编辑这套丛书，有一个用意就是节省读者的时间，让读者在较短的时间内获得较多的知识。在信息爆炸的时代，人们要学的东西太多了。补习，遂成为经常的需要。如果不善于补习，东抓一把，西抓一把，今天补这，明天补那，效果未必很好。如果把读书当成吃补药，还会失去读书时应有的那份从容和快乐。这套丛书每本的篇幅都小，读者即使细细地阅读慢慢地体味，也花不了多少时间，可以充分享受读书的乐趣。如果把它们当成补药来吃也行，剂量小，吃起来方便，消化起来也容易。

我们还有一个用意，就是想做一点文化积累的工作。把那些经过时间考验的、读者认同的著作，搜集到一起印刷出版，使之不至于泯没。有些书曾经畅销一时，但现在已经不容易得到；有些书当时或许没有引起很多人注意，但时间证明它们价值不菲。这两类书都需要挖掘出来，让它们重现光芒。科技类的图书偏重实用，一过时就不会有太多读者了，除了研究科技史的人还要用到之外。人文科学则不然，有许多书是常读常新的。然而，这套丛书也不都是旧书的重版，我们也想请一些著名的学者新写一些学术性和普及性兼备的小书，以满足读者日益增长的需求。

“大家小书”的开本不大，读者可以揣进衣兜里，随时随地掏出来读上几页。在路边等人的时候，在排队买戏票的时候，在车上、在公园里，都可以读。这样的读者多了，会为社会增添一些文化的色彩和学习的气氛，岂不是一件好事吗？

“大家小书”出版在即，出版社同志命我撰序说明原委。既然这套丛书标示书之小，序言当然也应以短小为宜。该说的都说了，就此搁笔吧。

自 序

这本书是人民文学出版社1994年版“中国古代文体丛书”中的“戏曲”分册。人文社的这套丛书，包括诗、词、赋、骈文、散文、小说、戏曲七个分册，我负责撰写“戏曲”分册。

从1978年就读于中国社科院研究生院文学系，我的专业即是中国古代戏曲，毕业后在文学所古代室工作，也一直从事戏曲研究。

这本书是从“文体”的角度，简要叙述中国古代戏曲的起源、完善、发展的历史，可以看作是关于中国古代戏曲史的入门书。写作这个小册子的时候，参考了张庚、郭汉城主编的《中国戏曲通史》（中国戏剧出版社1980年版）、叶德均的《戏曲小说丛考》（中华书局1979年版）、周贻白的《中国戏曲发展史纲要》（上海古籍出版社1979年版）、《王国维戏曲论文集》（中国戏剧出版社1984年版）、《中国古典戏曲论著集成》（中国戏剧出版社1959年版）等论著。

这次，北京出版社提出将这本书列入“大家小书”的丛书系列。我仔细重读了出版于二十多年前的这个小册子，修改了其中的一些不当的字句，核对了书中的引文，尽力添加了当年尚无严格要求的引文出处。

感谢北京大学艺术学院陈均教授的推荐。感谢人民文学出版社管士光先生提供原书的电子文版，免去我重新输入的麻烦。感谢在引文核对和添加注释的工作中，北京大学中文系李简教授给予我的帮助。

编辑出版过程中，王远哲工作的认真、细心，给我留下深刻印象，在此向他致谢。

2017年3月于北京蓝旗营

目录

前　　言

在谈到戏曲这种文体的演化历史及其特征之前，我们首先遇到的问题，是对“戏曲文体”所涉范围的界定。戏曲，与我国古代传统文学样式，如诗、词、文、赋等不同，它并非是单纯供阅读的文本，它与接受者的关系，更重要的是在演出场所之中，从某种意义上说，写在纸上的戏曲文学剧本，并不是戏曲的真正的实现。它的实现还包含着更加复杂、丰富的艺术形式上的因素，诸如唱、念、做、打的表演，以及舞台布景、音乐伴奏、灯光等等，用一句通常的话来说，它是一种“综合艺术”。

不过，本书对戏曲的考察，主要是限定于“文体”的角度。也就是说，研究的是它作为中国古代文学诸种文学样式中重要的一种的发展过程及其特质，因而，自然就会把舞台表演上的种种因素放在我们考察的视境之外。但是，演出的实践、舞台表演对戏曲这种“文体”特质的确立与演变又是至关重要的。甚至可以说，正是舞台演出的推动，才使“戏曲文体”得到发展和完善，那么，这方面情况如果加以忽略，自然将会造成严重的缺陷。考虑到这种复杂的关系，我给这本书确定的观察和论述原则是：以戏曲文学的文体作为分析的对象，而舞台实践将作为制约推动这种文体发展变化的重要条件来看待。

当我们开始进入中国戏曲文体的特点及其演化过程这一正题时，有两个问题是不能不先做些讨论的：第一是中国戏曲起源的问题；第二是与对传统诗词文赋，与对西方戏剧的考察相比，对戏曲的“文体”特征的考察在角度和侧重点上，应该有什么样的变化的问题。前一个问题涉及对史实材料的分析和我们分析的起点，后一个问题关系到我们的论述方法。

在中国文学的文体递嬗的历史上，戏曲文学的出现是值得注意的重要现象。这不仅仅因为戏曲属于俗文学范畴，它的作者和它的对象世界都不再囿于那个文学庙堂，更重要的是，这种文体的演变，已经偏离了传统诗文沿革的轨道。它的形成、发展，并非完全依赖于对前代诗、词的继承，而有它自身从萌发到成熟的漫长的历史。而从它的内部结构上看，诗、词也不再是它形成的唯一的，或者说是最重要的依据。这个文体形成的过程本身，就带有相当程度的独立性。

现代人把“戏曲”的表演艺术手段归纳为“唱、念、做、打”，反过来说，以“唱、念、做、打”作为艺术手段的表演形式叫戏曲。

我们若搞一点训诂，追溯一下“戏”“曲”二字的本源，还是很有意思的。“戏”的繁体字为“戲”，在《说文解字》上被许慎释为“三军之偏也，一曰兵也，从戈，䖒声”。看起来，这与我们今天概念中的“戏”字在内涵上似乎全不相干。但《诗经·淇奥》中就已有“善戏（戲）谑兮，不为虐兮”，可见，“戏”字在很早的时候，就已有游戏、玩笑之意。而“戏”与“兵”也并非真的不相干。姚华《说戏剧》中所言“戏始斗兵，广于斗力，而泛滥于斗智，极于斗口，是从戈之意也”，就沟通了“戏”与“兵”、与打斗之间的联系。事实上，在后世，游戏、玩笑乃至舞蹈、音乐与兵器、军队或战事之间的联系一直没有分离。汉朝有“武戏”。唐代有“剑器舞”。宋代“钧容直”（钧容，宋军乐名。“钧容直”为宋代宫廷仪仗中的军乐队）身兼护驾、奏乐二任。至于金代诸多“针儿线”“甲仗库”“军闹”“阵败”院本，元代以后的武戏就更不用说了。因此，把“戏曲”中的“戏”字理解为包含着“做”与“打”的内容，去事实该不会太远。“曲”字的意思比较简单，《国语·周上》有“使公卿至于列士献诗，瞽献曲，史献书”的记载。曲即是乐曲、曲词之意。“戏曲”中的“曲”也就代表了“唱”“念”的内容。

如果把远古俳优的即兴表演和应对玩笑当作“戏”的先祖，那么，先秦歌舞就应当是“曲”的源头了。作为两条并行的线索，古代优戏和歌舞，经过从先秦至南北朝、隋唐的发展，至宋始合而为一，形成真正的“戏曲”。因此，我们在描述戏曲的发生发展时，应该从看来与“文体”相去甚远的古优的表演与先秦歌舞开始。

比起诗、词、文、赋来，戏曲最明显的特点是它的“通俗性”和“实践性”。

所谓“通俗性”，是指戏曲最初由民间萌生，最终于民间落脚这一事实。它不再仅仅被置于案头供阅读、吟诵（充其量像词那样配乐歌唱），纯属于文人的领域。它要作为一种伎艺（广义的伎艺）到舞台上进行演出，面对着各阶层的观众，特别是广大的市民观众——一个世俗的世界。由于欣赏对象的拓展，使戏曲的发展在一定程度上必须偏离“正统文学”的轨道而另辟蹊径：它不仅要在文人的经营，而且要在市俗百姓的选择中，不断地调整自己存在的形态。从某种意义上说，南戏、杂剧、传奇、地方戏的递嬗变化，以及变化中的刻意求新，都是这种选择和调整的结果。

这里所说的“实践性”，并非是与“理论性”相对应的概念，而是指戏曲的舞台实践特征。严格地说，一个戏曲文本只能供案头阅读，却不适合舞台演出，便不能算是成功的。它的最终实现，还是要在舞台上。这样，“戏曲文体”本身，就要不断地接受舞台表演的影响和制约。比如诗、词长于内心情感的刻绘，小说也可以做大量的心理描写，戏曲中的人物情感和内心活动，是通过曲词来表现的，但是，如果一个戏曲作品过多地使用歌唱抒情，会使人感到乏味，因此，创作者必须顾及舞台演出实践的效果，在戏曲结构、人物动作等方面下功夫。这就是“实践性”对文体构筑的反作用。其他如舞台及其他演出条件、虚拟性、程式性的表演方式，也都会影响到文体的特征。因此，我们在考察戏曲文体特征时，充分注意它的“通俗性”和“实践性”所带来的各种制约，是非常必要的。

我们在考察戏曲文体特征时，应该具有与考察诗、词、文、赋既相同但又相异的方法与角度。首先，戏曲熔诗、词、说唱文学于一炉，又受到表演上唱、念、做、打诸因素的直接影响，使我们的分析必须充分看到来自各方面复杂因素的作用。其次戏曲在某种程度上是执笔者、演出者与观众的“集体创作”的这一事实，又提醒我们注意到文人、演员、观众在创作、表演、欣赏时从不同角度出发的审美需求上的矛盾和统一的状况。最后，戏曲属于雅俗共赏的艺术形式，它为不同文化层次的阶层所共同创造和接受。这些都是值得注意的方面。所以，戏曲的形成，就犹如涓涓细流，经过曲折蜿蜒，千回百转才汇成江河。而一旦形成之后，它的容量、它的社会作用、它的审美效应，都远远地超过了此前的诗、词、文、赋，它的魅力所及，几乎席卷了整个社会。因此，我们在描述戏曲文体演变的历史时，要特别注意到它在曲折而复杂的发展历程中与社会的、文学的诸多因素间的关系。

把中国戏曲与诗、词、文、赋等进行比较，可以看到戏曲有别于传统文学的特点，有助于我们研究方法、角度的确立。若是再做一点横向比较，则可以看到中国戏曲与西方戏剧的发展过程与文体变迁，也有明显的异同，使我们注意到民族特异审美心理对这一文体形成的影响。

西欧戏剧历史悠久，作为古代欧洲戏剧代表的古代希腊戏剧在公元前5世纪，便进入了繁荣时期。公元前3世纪至公元前2世纪，罗马戏剧也达到鼎盛。古代希腊和罗马戏剧，最初都是从宗教仪式而来，有着娱神的宗教意义，这一点，与中国的戏曲可以远溯到与图腾崇拜相关的巫觋歌舞是相同的。不过，希腊、罗马宗教仪式上的表演以歌唱为主，以语言表情达意，开启人的思维。而中国巫觋的表演，却是歌舞相兼，以舞为主，更重形体表演，强调悦目怡情。严格地说，最初的古代希腊戏剧和罗马戏剧，并不是严格意义上的“戏剧”。它说唱相间而以合唱为主，间有演员的叙述，并与合唱队有简单的对白。后来，由于有取材神话的悲剧和取材生活的喜剧出现，合唱队的抒情成分逐渐减少，而随着剧情的复杂化，叙事成分逐渐增多，语言、动作和戏剧矛盾更加发达起来。后来，亚里士多德在《诗学》中将“悲剧”定义为“是对于一个严肃、完整、有一定长度的行动的摹仿；它的媒介是语言，具有各种悦耳之音，分别在剧的各部分使用；摹仿方式是借人物的动作来表达，而不是采用叙述法，借引起怜悯与恐惧来使这种情感得到陶冶”。这说明古代希腊戏剧已经趋于成熟。

总的来说，希腊和罗马古代戏剧的构成和艺术表现还是比较单纯的。按照亚里士多德的说法，构成“戏剧”的几个必要条件是：①故事情节有一定长度。②媒介是语言。③表达方式是摹仿、代言。它虽然也曾与歌舞邻近，古希腊一度还产生过“集诗歌、散文、音乐、舞蹈以至于魔术和走绳索之类的各种杂技于一炉”（廖可兑《西欧戏剧史》），伴有滑稽、嘲弄场面的拟剧，但由于悲剧与古希腊对神的信仰相关，而喜剧又与当时的民主政治密切相连，纯属于民间的，粗俗而无节制的拟剧就在中世纪的宗教剧兴盛时消亡了。因此，一般说来，西方“戏剧”中，歌舞和音乐的成分很少，即使时有出现，也没有构成主要的成分。这些，都是与我国戏曲相异的地方。

以古希腊的戏剧发展来看，从公元前7世纪酒神祭祀开始，到公元前4世纪《诗学》问世，经历三百年，戏剧的体制就基本上固定下来。而我国戏曲，若从先秦歌舞和两汉优戏算起，到宋代南戏出现，其间却经历了一千多年的时间。

探究西欧戏剧形成迅速，而中国戏曲发展缓慢的原因，是中国戏曲史研究中的一个古老命题。想要说清其间的复杂缘由，是相当困难的，或者说几乎是不可能的。不过如果排除一些涉嫌随意性太大的因素，至少下面两点值得我们考虑。

其一，西欧戏剧从一开始就是以颂神为主要内容，偏于思维型。以后顺理成章地把戏剧作为抽象思维的一种外化的手段，来表现人与命运、人与自身、人与环境关系的思考。从体制上看，从古剧的歌唱与戏剧，甚至与歌舞一体，到后世歌剧与话剧、舞剧分途，实际上是一个分解过程，一个把思维与娱乐一分为二的过程。而中国戏曲从巫觋的娱神（实际上是娱人）为主要内容开始，更偏重于满足感官娱乐的需求。中国人抽象思维不够发达的民族素质，寓教化于娱乐的思维模式，宗教观念淡薄，心魂所寄为现世今生的实用人生态度，都导致将教化、艺术、宗教、娱乐合而为一的倾向。中国巫觋的既娱人又娱神的表演、变文俗讲将宗教与世俗的混杂、在戏曲社会功能上强调教化的主张，都是这种民族审美要求的具体表现。这种审美要求，常常由于混杂着许多非艺术因素，而使戏曲本身的特质被湮没，建立一种完备的艺术形式及文学文体的要求的自觉性受到抑制。因此，中国戏曲的发展，便表现为一个缺少强烈自觉意识的散漫的汇合过程。

其二，一种文学样式的发展和确立，必须有赖于有文化修养的知识阶层的介入。希腊和罗马戏剧从一开始就非常幸运地获得了这个条件。古代希腊三大悲剧家中，埃斯库罗斯是雅典的一个氏族贵族家庭的子弟，从小受到良好的教育；索福克勒斯出身于雅典一个富裕的商人家庭，具有很高的艺术才华；欧里庇得斯同时又是一个学者、思想家。喜剧家米南达是一个富裕的名门子弟。阿里斯托芬虽生平难考，但在他的戏剧创作中，显示了他对于政治、战争、哲学、艺术的见解，充分地证明了他有着极高的文化素养。罗马的泰伦斯、普劳图斯、塞内加也同样是知识广博而才能出众的剧作者。他们的出现，他们的艺术实践，不仅促成了希腊、罗马戏剧在语言、人物刻画、戏剧结构等方面的发展，而且对于西方戏剧的体制的定型，有着不可磨灭的功勋。

中国戏曲从它的萌芽阶段开始，就被排斥于正统文化之外，被认为是不入流品、不登大雅、专供调笑的倡优之类。直到元代，才有文人儒士在不得已的景况之中下顾戏曲，从而产生了戏曲这一文学样式最终成熟的契机。元代的文人才士，使刚刚在宋代才形成的幼稚的戏曲得到提高和改造，使中国戏曲最后确立了它的基本的特质。这一特质虽然相异于传统的诗、词、文、赋，但是，由于文人的加入，又使戏曲与传统文学有着割不断的联系，而必须寻找传统文学与市民文学联结的途径与方式。

中西对戏剧“功能”的不同理解和文人“介入”的不同方式与时机，显然会对西方戏剧和中国戏曲的发展产生不同的影响。当然，这远远不是问题的全部。对于相异的文化形态上的其他复杂因素的考察，工作还是大量的。

如果从亚里士多德《诗学》在谈到希腊悲剧的那段话中，略去“悲剧”在题材、情感表现和引起的感情效应等特定的内容的话，那么，这段话可以看作是“戏剧”的定义。迄今为止，这定义对于西方戏剧仍然并不过时。凡是故事情节有一定的长度、媒介是语言、表达方式是摹仿，代言的文体就是戏剧的说法，一直被认可，而且，这一在纪元前就已基本确立下来的文学样式，后来也没有发生太大的质的变化。当然，后世戏剧在内容上和艺术表现上都有进一步的丰富与发展，然而，就其若干涉及基本性质的特征而言，基本上是一致的。

中国戏曲却又不同了。建立完备艺术形式与新的文体要求的自觉性的欠缺，使几乎所有与戏曲有关联的名称的内涵都不易把握得准确，而且稳定性极差。比如：优戏、伎艺、百戏、散乐、杂戏、滑稽戏、参军戏、院本、杂剧、戏文、南戏……都可说是属于“模糊概念”的系列。对于百戏与散乐、滑稽戏与参军戏、杂剧与院本、戏文与南戏、乐府与传奇，谁也说不清它们准确的含义和彼此的界限。它们出现于不同的时代，艺术形式的特征既有重合和联系，又有区别和差异……戏曲史研究者，常常苦于难以极有根据地厘清它们之间的渊源和继承关系。而戏曲在宋代形成之后，于元、明、清也屡经变迁，体制样式都又发生了很大的变化。

“戏曲”一词出现得很晚，最初见于元人陶宗仪的《南村辍耕录》。其中的〈院本名目〉云：“宋有戏曲、唱诨、词说，金有院本、杂剧、诸宫调，院本、杂剧，其实一也。”〈杂剧曲名〉云：“稗官废而传奇作，传奇作而戏曲继，金季国初，乐府犹宋词之流，传奇犹宋戏曲之变，世传谓之杂剧。”这里的“戏曲”也还并非现代意义上的“戏曲”，倒应是“宋杂剧”的别称，而这里的“传奇”则有点像是唐代小说和“元杂剧”的异名了。

有趣的是，同这些名称的内涵不清相联系，对于什么叫“戏曲”，具备了哪些因素以后，才可以算是真正的“戏曲”，直到今天也还是众说纷纭，莫衷一是。对这个问题的不同认识，牵涉到我国戏曲史上的另一个重要问题，即对于戏曲成熟的具体时代的判断问题。

归纳比较流行的近、现代重要的研究者的意见，对于中国戏曲成熟的时代有三种说法。

任中敏力主“唐代说”。

他从传统的区分文体的要点出发，认为凡属“代言、问答、演故事”（《唐戏弄》）的文体形式，即可以称为具有了构成戏剧的基本条件（这里的“戏剧”可以看作是“戏曲”的同义语）。他认为“踏谣娘”就是“唐代全能之戏剧，在今日所得见之资料中，堪称中国戏剧之已经具体，而时代又最早者”（《唐戏弄》）。

郑振铎、周贻白等提出“宋代说”。

郑振铎指出：“盖中国最早的戏曲，其产生期，今所知者当在北宋的中叶（约十一世纪）至宣和间（十二世纪初半期）。”（《插图本中国文学史》）

周贻白认为："北宋时期民间勾栏所演杂剧，不仅内容上已完全以故事情节为主，装扮人物，根据规定情境而做代言体的演出，而且，在表演形式上则根据唐代参军戏与歌舞戏相互掺和这一基础，从故事情节出发，使内廷那些轮替着演出的歌舞杂技成为有机的结合，由是形成多种伎艺高度综合的中国戏剧的表演形式。"（《中国戏曲发展史纲要》）

持"宋代说"的还有钱南扬、胡忌、赵景深等。

"元代说"发轫于近代的王国维。

他认为"后代之戏剧，必合言语、动作、歌唱，以演一故事，而后戏剧之意义始全"（《宋元戏曲考》），而"元杂剧于科白中叙事，而曲文全为代言"，因此断言代言体戏曲"自元剧始"。在做出这一判断时，王国维也曾考虑到始于宋代的可能性。他说："唐代仅有歌舞剧及滑稽剧，至宋、金二代而始有纯粹演故事之剧，故虽谓真正之戏剧，起于宋代，无不可也。"不过，他进一步指出："然宋、金演剧之结构，虽略如上，而其本则无一存，故当日已有代言体之戏曲否，已不可知，而论真正之戏曲，不能不从元杂剧始也"（《宋元戏曲考》）。王氏以为到宋代科白、音乐、舞蹈的交汇已经完成，唯今存宋代大曲皆为叙事体，金代诸宫调虽有代言的部分，但主要还是叙事体，没有足够的材料（剧本）来证明宋杂剧已经演进到代言体。如果王国维再多活几年，有幸看到后来发现的《永乐大典》中的戏文，看到宋代戏文《张协状元》，也许会修正他的“元代说”，把戏曲成熟的下限上推一个朝代。

我以为，以王国维所言“合言语、动作、歌唱以演一故事”作为中国戏曲成熟的标志，是比较简练而恰切的说法。上述“宋代说”的主持者，对戏曲成熟标准界定的根据，不过是对王国维这一说法的不同阐释。如果我们把他所说的“言语”理解为“宾白”，“动作”理解为“科泛”“舞蹈”，“演”理解为“代言”“扮演”，“故事”指一定长度的情节、矛盾设置，那么，在中国戏曲发展的历史上，楚庄王时代的优孟对叔孙敖的摹仿表演可以算是“宾白”“科泛”“扮演”合一的滥觞，唐代参军戏是其发展和变化。先秦巫舞可以作为“舞蹈”“歌唱”“扮演”结合的渊源，而南北朝和唐代的“踏谣娘”“钵头”“代面”则是其演进和嬗变。其余如“东海黄公”融“角觝”与“舞蹈”为一体；“驱傩”由“歌唱”“舞蹈”“假面”结合而成；“大曲”有“歌唱”与“舞蹈”相兼；“鼓子词”以“说”“唱”并用……一千年来，百戏、伎艺交叉或并行发展，分分合合，合合分分，在这种广泛的联系、复杂的交替中，戏曲逐渐确立了自己的存在形态。直到宋代，流传至今的南曲戏文才跨越了叙事代言混合，而以叙事为主的诸宫调，成为以代言为主而时有叙事间杂其间的“代言体”文学样式，至此，它就具备了王国维所规定的所有的因素。

由于宋官本杂剧和金院本没有发现流传至今的完整作品，所以我们很难判断它们在文体结构上是否与南曲戏文同步发展。但是，有史料笔记可以证明，宋官本杂剧和金院本的角色行当的分工已经比较稳定，代言、扮演当不成问题，剧作的故事情节比较完整和丰富，程式化的表演方式也已基本形成，由此推断宋杂剧与金院本具备了戏曲的基本因素，该是能够成立的说法。如果我们把宋代北方的官本杂剧、金院本和南方的戏文放到一起作为宋代戏曲的总体来考察，那么应当说，宋朝戏曲已经显现了相当充分的综合性特征，这使它们与所有的百戏、伎艺、说唱、歌舞划开了界限。它既是一个终结，又是一个新的开端。

么书仪

1993年于北大蔚秀园

一　戏曲的准备阶段

当我们议论到戏曲——这个歌、舞相兼，科、白俱全，唱、念、做、打融为一体的艺术样式的渊源时，常常不免有茫然之感，不知道这端绪应当寻到哪里为是，若以宋代戏文作为“戏曲”起始，当然比较确切，但宋代戏文又确非自天而降。若推先秦、两汉巫舞、倡优为母体，会觉得这母与子之间相去甚远，同时也难免落下“拆碎七宝楼台”之诮。然而，按照我们传统的善于追本溯源的习惯，还是要将戏曲的起源，一直追溯到“远古洪荒”，犹如长江的源头要追寻到沱沱河，而黄河要上溯到卡日曲一样。

任何文体的产生，都首先需要具有一些必要的条件。相对来说，体制比较简单的文学样式，往往形成在先，而比较复杂或属于较高层次的文学样式，则需要具备更多的因素，或者这些因素需要发展到更成熟的阶段。因而，这些文学样式的准备、孕育的时间也就比较长，形成的时代也会比较晚。

在中国文学史上，早在文字产生之前，就出现了神话、原始形态的诗歌和舞蹈。它们属于广义的“文学”范畴，是后世各种文艺体裁产生的基础。古代诗歌从二言、四言、古体、近体，直到词曲，是从原始形态的诗歌，沿着从简单到复杂、从单一到多种体制的路线发展变化。而古代神话之后，志怪、传奇、话本、小说，也是沿着从幼稚到成熟、从低级向高级的规律演进变更。“戏曲”也有这一演进发展的过程。比较起来，它的情况较为复杂。它的发展线索不止一条，来源也不止一处。它不仅与舞蹈，而且与神话、诗歌均有密切的关系；它不仅需要韵文与散文的结合（唱、念融会）、舞蹈与武术的结合（做、打贯通），需要故事情节作为骨架，抒情诗词饰其神韵，还需要一种从叙事到代言的彻底的转变……因此，它的产生经历了更为漫长的过程。

总的来说，中国戏曲的发展，大致可以划分为准备、形成、完善、提高、变化五个阶段。如果说中国戏曲形成于宋、完善于元、提高于明、变化于清的话，那么，我们就是把先秦至隋唐五代看作是一个漫长的准备阶段了。

从现存的材料看，这一阶段并无戏曲文学作品出现，而只有一些演出实况的记录。这些演出实况记录表明，戏曲在先秦至隋唐五代，经历了从萌芽到雏形的发展。

萌芽期的戏曲，具有两种最初的形态，即有情节的歌舞和有科白的滑稽表演。这构成戏曲准备阶段的两条发展线索，基本上是并行的，交叉和汇合的情况不多。很难断定歌舞和滑稽表演出现的先后，因为没有人为歌舞和滑稽表演的优人、巫者列传。他们在史书上的出现，常常是一种偶然的、特殊的情况。因此，当我们考察这段历史时，就很难避免因资料欠缺而产生的缺陷了。

这里所说的“有情节的歌舞”和“有科白的滑稽表演”，都不能做过于拘泥的理解。先秦以降的“有情节的歌舞”的“情节”，只是非常简单、粗略的事件梗概，并不能等同于近代意义的“故事”“情节”等概念。而所谓“有科白的滑稽表演”，在今天看来，也不过是用简单的动作和表情装饰的笑话。从先秦巫舞、优孟衣冠到唐代踏谣娘、参军戏，在故事情节和表演动作上，都处于“原始”的阶段。其间虽也有从简单到稍稍复杂的量的发展，却并未达到质的飞跃。

有情节的歌舞

关于戏曲的起源，王国维明确提出戏曲出于与宗教相关的“巫”。《宋元戏曲考·上古至五代之戏剧》中写道：“歌舞之兴，其始于古之巫乎？巫之兴也，盖在上古之世。”“周礼既废，巫风大兴，楚越之间，其风尤盛。王逸《楚辞章句》谓：‘楚国南部之邑，沅湘之间，其俗信鬼而好祠，其祠必作歌乐鼓舞。’……”

巫在古代是被认为能以舞蹈降神的人。他的职责是“或偃蹇以象神，或婆娑以乐神”（《宋元戏曲考》）。这里的“象神”，是指摹仿装扮成神的样子，而“婆娑以乐神”则是指表演给神看的舞蹈。王国维认为巫的表演中，已经具有了戏曲表演的因素。

刘师培认为戏曲始于庙堂的“颂”。他的《原戏》指出：“《左传》：‘夫舞以节八音，而行八风。’既以歌节舞，又以舞节音，和今日戏曲以乐器与歌者舞者相应一样。”

据《毛诗序》所言：“颂者，美盛德之形容，以其成功告于神明者也。”这“美盛德”可能是以形体动作进行表演的。《史记·乐书》中记载孔子对周颂《武》的解释是：“夫乐者，象成者也。总干而山立，武王之事也；发扬蹈厉，太公之志也；武乱皆坐，周召之治也……以待诸侯之至也。”这是一个表演武王伐纣故事的歌舞，该是有歌有舞有乐的。

许之衡提出戏曲出于“乐官”。他的《戏曲史·戏曲之起源》指出："盖古者天子设专员以典理乐章，代有专官，《尧典》云：'帝曰夔命汝典乐。'以后设官以司乐者，史不绝书，其典乐者，即总管也，而其下诸乐工，即优伶也。当时歌舞，其态度庄重，故登之清庙明堂，视为大典。然《周礼》春官有帔舞、羽舞、皇舞、旄舞、干舞、人舞之文，已开后世戏剧之渐矣。"他认为，为天子服务的乐工的歌舞表演，是戏曲的端始。

上述三家，虽各有其说，但以歌舞为戏曲之始的主张，却是相同的。事实上，无论是以"装神""娱神"为职责的巫也好，以"颂神""娱人"为职司的乐工也好，他们实在都是一类人，都是最早专门从事伎艺表演的专家，可以算是最早的职业演员了。而且，记载中的这些歌舞表演，从形态上看，也相去不远，因此，上述三说，在实质上区别不大。

如若我们有兴致再往前追究，则《吕氏春秋·仲夏纪·古乐》中"葛天氏之乐，三人操牛尾，投足而歌〈八阕〉"的记载，要更早些。葛天氏是传说中伏羲之前的古帝，这〈八阕〉中包括"载民""玄鸟""遂草木""奋五谷""敬天常""达帝功""依地德""总禽兽之极"八个部分，从内容结构上看，应当是与《诗经》中的"公刘""绵""七月"类似的叙事诗，其中叙述了部族的生衍、农事、祭祀、猎事等等。三人操牛尾表现如此复杂的内容，可能那表情和形体动作也有相应的变化。看来，诗、歌、舞从它们的最初出现开始，就是不可分割的三位一体。这种三位一体的紧密结合，至今仍是中国戏曲最基本的特征之一。齐如山说中国戏曲“有声皆歌，无舞不动”（《齐如山全集》），钱穆说中国戏曲“动作舞蹈化，语言音乐化”（《中国京剧之文学意味》）都是同样的意思。因此，把中国戏曲的源头，追溯到先秦时代的歌舞，或许并非牵强附会。

这一时期的歌舞表演的具体内容和表演过程，已经无从查考，但从“操牛尾”“投足”一类的记载中，可以知道这种舞蹈表演外形上还只是一些比较简单的示意动作，无法与后来的戏曲表演相提并论。不过它们所拥有的因素，却是后世戏曲形成的基础。这种歌舞，在艺术形式上，已初步显示了一种丰富性：歌可悦耳、舞能娱目，诗诉诸观者的内心，调动情感。从内容上看，无论娱神，还是祠鬼，都与原始宗教信仰有关。当然，这种歌舞，实际上只是表现某种生产、生活情景和场面，还谈不上有典型意义的“情节”因素。

以舞蹈表现有情节的内容，始于汉朝。

关于汉代歌舞演出的情况，古籍中有若干记载。晋人葛洪《西京杂记》中，描述了“东海黄公”的故事和演出：

有东海人黄公，少时为术，能制龙御虎，佩赤金刀，以绛缯束发，立兴云雾，坐成山河。及衰老，气力羸惫，饮酒过度，不能复行其术。秦末，有白虎见于东海，黄公乃以赤刀往厌之。术既不行，遂为虎所杀。三辅人俗用以为戏，汉帝亦取以为角觝之戏焉。

这段记载中出现了两个“戏”字。第一个“戏”字是“游戏、逸乐”的意思，第二个“戏”字是“伎艺、杂戏”的意思，都不是“戏曲”之戏。但这里描述的表演中，却有戏曲萌芽阶段的情节因素存在：东海黄公应当是一个道者，会巫术，年轻时能以此制服猛虎，到他衰老时，饮酒过度，法术不灵了，就被虎吃了。这是一个慷慨的悲剧。

角觝戏是汉代百戏之一。当时，把各种表演伎艺，包括传统民间杂伎和“西方幻戏”，诸如“扛鼎”（举重）、“寻橦”（爬竿）、“冲狭”（穿火圈或刀剑狭门）、“燕跃”（翻筋斗）、“跳丸”（抛掷手技）、“走索”（空中走绳）、“吞刀”“吐火”“鱼龙曼延”（鱼龙变化）等等统称为“百戏”。它的正式称呼叫“散乐”，以与载之典章的“雅乐”相区别。

角觝意思同于摔跤，角觝戏则是以摔跤的形式进行舞蹈表演。“东海黄公”表演时是人与“虎”摔跤，先是人摔倒“虎”，后是“虎”摔倒人，但又不是角力，胜负要服从“情节”的规定，那么，扑跌打斗也就是一种示意动作了。

与“东海黄公”相类的，还有《汉书·盖宽饶传》中记载的“沐猴与狗斗”：

> 平恩侯许伯入第，丞相、御史、将军、中二千石皆贺……酒酣乐作，长信少府檀长卿起舞，为沐猴与狗斗，坐皆大笑……

对这段记载，颜师古释曰：沐猴就是猕猴。“沐猴与狗斗”，应当也是角觝戏，但是一个人表演两个动物角力的舞蹈，不知怎样演法。可能是一人表演两种舞蹈动作吧。

宋代郭茂倩所编《乐府诗集》收有梁代周舍所作“上云乐”一篇，是写老胡文康遨游六合歌舞的歌词。其中写到老胡的扮相是：“青眼智智，白发长长，峨眉临髭，高鼻垂口”，而且“善饮酒”、善胡舞。老胡有仪仗和随从，“箫管鸣前，门徒从后，济济翼翼，各有分部”，而且有“凤凰”和“狮子”前呼后拥。老胡游历四方“西观濛汜，东戏扶桑，南泛大蒙之海，北至无通之乡”。“濛汜”和“扶桑”是传说中太阳没入和升起的地方，指天地的最西和最东方。“大蒙之海”和“无通之乡”也都未必实有其地，只是讲最南和最北方。老胡所到之处，都受到热烈的欢迎：“周帝迎以上席，王母赠以玉浆”，一路之上，“歌管愔愔，鉴鼓锵锵，响震钧天，声若鹓皇”……

这也许是个给皇帝祝寿的喜庆舞蹈，因为最后的歌词是“但愿明陛下，寿千万岁，欢乐渠未央”。其中的人物除了老胡外，还应有“周帝”“王母”，动物有“狮子”“凤凰”。主要的形式是舞蹈：独舞、队舞、兽舞、胡舞，而且有音乐伴奏，主要的情节是“遨游六合”。

其他如汉武帝时成立的“乐府”所采集的俗曲“刘生洛阳公子行”“秋胡行”“子夜”“莫愁”等，可能其中都有叙事内容。

从汉朝开始出现的以“东海黄公”和“西方老胡”为代表的歌舞表演，有如下特点：①以神话为题材；②有简单但相对完整的“情节”；③化装扮演；④以歌舞表现情节的发展。

这里的第③和第④点虽然都属于表演艺术的范畴，但奇妙的化装脸谱、丰富的歌舞乃至于角觝打斗，无一不在后世的戏曲中得到继承和发扬，成为戏曲艺术不可缺少的部分。

这种有情节的舞蹈表演，到南北朝时，又有一变，除了化装、表演技巧上的提高之外，一是题材上舍前代鬼神玄幻之想，渐以人事之扮演为其取材所自；二是情节作为烘托和背景，表演以抒情为主。

这两点变化在戏曲发展史上是非常重要的。敷演神仙怪异之事，技巧再高超，也不过炫耀奇逸。而进入以人事以现实生活为题材，对创作者来说，就开辟了创作的广阔天地，对欣赏者来说，也不再止于耳目声色之乐。作者的意图和作品的意义都开始向一个较高层次过渡。表演以抒情为主，使作者和表演者的主体因素得到发挥，由此定下了我国戏曲的抒情性、以情感人的基调。在开始时可能是受到“正统”文学的影响，后来则是被观众“承认”了。

形成于北齐而到唐代还盛演不衰的歌舞有“代面”“钵头”“踏谣娘”。

《旧唐书·音乐志》载：

> 代面出于北齐，北齐兰陵王长恭，才武而面美，常著假面以对敌，尝击周师金镛城下，勇冠三军，齐人壮之，为此舞，以效其指挥击刺之容，谓之兰陵王入阵曲。

“代面”又称“大面”，即为“假面”。这个歌舞的名称正经应叫作《兰陵王入阵曲》，“代面”不过是一种艺术形式。这个舞蹈是效法兰陵王“指挥击刺之容”，应当是一个武舞。它的情节并不复杂，但演出时，舞蹈者头戴假面是显著的特征。著“假面”进行表演，并不始自北齐。《汉书·礼乐志》中便有有关的记载，这应当是“代面”的远祖。

当时，除了“代面”之外，还有“拨头”（即“钵头”）舞蹈。《旧唐书·音乐志》载：

> 拨头者，出西域胡人，为猛兽所噬，其子求兽杀之，为此，舞以象之也。

“拨头”，又作“钵头”，对于这两个字的意思，王国维做过考证，他认为“拨头”“钵头”是外来语的不同音译。《北史·西域传》中有拔豆国，而“隋唐二《志》，即无此国，盖于后魏之初，一通中国，后或亡或隔绝，已不可知。如使‘拨头’与‘拔豆’为同音异译，而此戏出于拔豆国，或由龟兹等国而入中国，则其时自不应在隋唐以后，或北齐时已有此戏，而‘兰陵王’‘踏谣娘’等戏，皆模仿而为之者欤”（《宋元戏曲考》）。

“拨头”“钵头”“拔豆”为同音异译，是有道理的，由此推测“拨头”于北齐时已经出现也是有道理的。但说“兰陵王”“踏谣娘”都是模仿外来的拨头，倒不一定。这拨头舞与我国汉代的“东海黄公”的表演方式同为歌舞结合；化装上一为“绛缯束发”，一为“披发素衣”；内容上都有伏虎和为猛兽所伤的情节，从上述几点看确有相似之处。这种相似，固然可能是中外艺术之间的渗透影响，但也可能并非直接影响，而是基于人类某种共同审美需求而出现的相似。因而，在没有确凿证据说明这种“模仿”之前，倒不必一定要说是谁模仿谁。

北齐最成功的歌舞表演，应推“踏谣娘”。唐代崔令钦《教坊记》记载得很详细：

> 北齐有人姓苏，鮑鼻，实不仕，而自号为郎中，嗜饮酗酒，每醉辄殴其妻，妻衔悲，诉于邻里。时人弄之。丈夫著妇人衣，徐行入场，行歌，每一叠，傍人齐声和之云：“踏谣和来，踏谣娘苦和来！”以其且步且歌，故谓之“踏谣”。以称其冤，故言苦。及其夫至，则作殴斗之状，以为笑乐。

从对这三个北齐时代的歌舞表演的描述上看其表演的特征是：其一，它们的主要表演方式是舞蹈。“兰陵王”的表演以“指挥击刺”为主，应是“武舞”。“踏谣娘”主要以舞蹈演示踏谣娘向邻里“悲诉”，结尾才有“殴斗”的表演，应属于“文舞”。而“钵头”，既有胡人之子“上山寻其父尸”和一路上如何悲伤的表演，又有“求兽杀之”和猛兽伤噬其父的情节，当是“文舞”“武舞”兼而有之。

其二，它们都是“歌舞相兼”。崔令钦《教坊记》中所记载的“大面”《兰陵王入阵曲》就明标“亦入歌曲”。段安节《乐府杂录·鼓架部》中的“钵头”条中，言及“山有八折，故曲八叠”。《太平御览》引《乐府杂录》，也记述了踏谣娘“自歌为怨苦之词，河朔演其曲而被之管弦”。

前面讲到的“沐猴与狗斗”有音乐伴奏，“老胡文康”也有“歌管愔愔，鉴鼓锵锵”。不过，说起来还只能算是有音乐伴奏的舞蹈，不能算“歌舞”。而到北齐时，以歌曲伴舞或表演者边歌边舞的情形就非常明显了。

从这三个歌舞所代表的北齐歌舞表现的内容看，与人的生活愈益靠近。表演一个受到爱戴的将军，如何勇武善战，而且，他还有一副美男子的容颜；一个热爱父亲，又颇勇敢的胡人，在父亲为猛兽所伤之后，怎样去杀死了这个猛兽；一个命运不好的女子，嫁了一个酒鬼，终日弄得苦不堪言……都比东海黄公的巫术和西方老胡游历天地四方，更能调动人的情感因素，这是中国戏曲创作中的一个重要问题。

兰陵王长恭（见崔令钦《教坊记》）是北齐文襄帝（高澄）第四子，据《北史》记载，他不仅是个勇武过人的美男子，而且对部下宽和仁爱，又清廉而注意修身，比起北齐那些骄奢淫逸的帝王贵族来，当然是深得民心的。特别是他最后并没有什么过失，却被世宗赐死，因此，他获得民间的同情和热爱是情理中事，这应当算是历史剧的起始了。

“色美而善歌”的踏谣娘，一说是北齐酒鬼苏郎中的妻子（见崔令钦《教坊记》），一说是隋末河内一个丑酒徒的妻子（见《太平御览》所引《乐府杂录》）。北齐也好，隋末也好，看来也是实有其人。才貌双全又富于情感的女子，却错嫁了丑而无德的酒徒，当然也是令人同情和遗憾的事。

那“钵头”中的西域胡人，为报父仇不顾个人安危，一定去寻伤父的猛兽，悲壮而令人钦佩，似乎也有真事的根据。

北齐的无名氏创作者，已经能从生活中撷取感人的事迹作为题材，编成一个有一定长度的带故事性的歌舞。认真地说，这“兰陵王”“钵头”和“踏谣娘”，是可以算作名副其实的“歌舞表演”了。

这三个歌舞表演的第三个特征是它们的抒情性。“兰陵王”本身情节简单，“齐人壮之，为此舞”（《旧唐书·音乐志》）的记载，说明了创作者的初衷，它的基调，当是对一种雄壮勇武气概的歌颂。又如悲怆哀伤的“钵头”、悲怨凄苦的“踏谣娘”，都首先以它所渲染的情绪打动人心，而“情节”反而只是构成烘托情感表现的“背景”。

至此，有情节的歌舞表演已经可以算是比较成熟了，它如《三国志》中记载的“辽东妖妇”和《晋书·乐志》中提及的“公莫舞”都应当属于同一类。

南北朝时歌舞的发达，得力于那些耽于声色之乐的君主的提倡和由此造成的淫乐无度的社会风气。南北朝君主大多雅好百戏，而北朝尤甚。后魏时将百戏“大飨设之于殿前”，后周时百戏常陈殿前，竟至“累日继夜，不知休息”，并让城市美少年着“妇人服而歌舞”，北齐盛行“偶人歌舞”（木偶歌舞），邺城（北齐国都）之下，箫管云集，倡优荟萃。这种气氛，加上国君的倡好，提供了歌舞表演发展成熟的客观条件。

有科白的滑稽表演

在中国戏曲发展的准备阶段，与有情节的歌舞表演并行的另一线索是有科白的滑稽表演，它是中国戏曲的另一个源头。“科白”和“滑稽”，与“情节”和“歌舞”一样，对中国戏曲来说，都是不可缺少的重要因素。只有这些因素有机地融会，形成一个艺术整体时，中国戏曲才可以宣告形成。在融会之前，有科白的滑稽表演也有自己的一段发展历史。

中国戏曲在它的雏形阶段，似乎就有着眼于教化的特征。从创作的一方看，一面制造着消闲的作品，一面还念念不忘道德说教；从接受的一方说，一边寻开心，一边却又从中寻求教化。由此，中国戏曲中几乎无处不有、无时不在的“滑稽”和“讽刺”，实在是寓庄于谐的一种手段，并因此构成中国戏曲的特质。这种“滑稽”和“讽刺”可以一直上溯到先秦的古优。

“古优”一般称“俳优”，有时也称“倡优”。“优”是伶人的意思，“俳”和“倡”却大有分别。许慎《说文》释“俳，戏也”“倡，乐也”。“倡”又与“唱”相通，那么，“俳优”应当是司戏之优，而“倡优”就应当是司唱之优、司乐之优了。不过，先秦古优从一开始就“俳”“倡”不分，确是因为他们是既“司戏”，又“司唱”的。

在中国的典籍中，见诸文字记载的古优的故事不少，但多数是属应对敏捷、善于滑稽一类。其中，优莫、优旃、优施和优孟的故事最为著名，他们的故事也确实勾画出各种类型的古优的特征。

汉·刘向《新序·刺奢》中有优莫面刺赵襄子的记载：赵襄子连饮五日五夜，优莫不仅没有劝他啜饮，而且告诉他：您还要再接再厉，纣可以连饮七天，您与纣还相差两天。但您还不会亡，因为当今昏君多，可是也很危险了。

《史记·滑稽列传》记载了优旃的故事。秦始皇好大喜功，想要把北鄙应当设防御敌的边地改成一个大游猎场。秦二世突发奇想，要把长城全涂上漆。优旃对他们的主意首先都表示赞同，然后发挥说：不设防搞猎场太好了，等敌人来了，就让麋鹿去顶他们就可以了。城墙上漆好得很，滑溜溜的，敌人来了就爬不上来了，可惜不易盖荫室使漆阴干。优旃的话使他们打消了荒唐的念头。

《国语·晋语》中有优施帮助晋献公得宠的夫人骊姬为儿子奚齐谋夺太子位的故事。晋献公已同意骊姬杀太子改立奚齐，骊姬怕大臣里克从中作梗，与优施商量，优施具酒席请里克饮酒，席间边舞边歌："暇豫之吾吾，不如鸟乌，人皆集于苑，己独集于枯。"大意为悠闲逸乐，人不如鸟，别个都飞往茂盛的大树，你却站在枯木上。意谓奚齐母子正得势，太子势孤力单，而且有被废的危险，里克若不避开，就难免罹祸。结果，里克听从了优施的劝诫，采取了中立的态度，没有招致不测。

《史记·滑稽列传》又有优孟衣冠的故事。大意为楚相孙叔敖死后，儿子生活贫困，求助于优孟，于是优孟就穿上孙叔敖的衣冠，模仿孙叔敖的动作，一年多以后就学得无不毕肖，之后，他在楚庄王面前有一段颇富戏剧性的“表演”：

庄王置酒，优孟前为寿。庄王大惊，以为孙叔敖复生也，欲以为相。优孟曰：“请归与妇计之，三日而为相。”庄王许之。三日后，优孟复来。王曰：“妇言谓何？”孟曰：“妇言慎无为，楚相不足为也。如孙叔敖之为楚相，尽忠为廉以治楚，楚王得以霸。今死，其子无立锥之地，贫困负薪以自饮食，必如孙叔敖，不如自杀。”因歌曰：“山居耕田苦，难以得食。起而为吏，身贪鄙者馀财，不顾耻辱身死家室富……楚相孙叔敖持廉至死，方今妻子穷困，负薪而食，不足为也。”于是庄王谢优孟，乃召孙叔敖子，封之寝邱四百户，以奉其祀，后十世不绝。

从上面的记载看，优莫、优旃、优施和优孟虽然都被称为“俳优”，史家也都把他们作为“滑稽”一类载入史册，但他们的“滑稽”和进谏的方法是有所不同的。优莫和优旃对皇帝的荒谬主张的谏阻，主要是运用敏捷的言辞，寓意讽刺。他们的讽刺方法，类乎逻辑上的“归谬”，即表面上顺着对方的主张，尽量夸大其荒谬的一面，“顺其所好”，“攻其所蔽”（马令《南唐书》），“谲辞饰说，抑止昏暴”（《文心雕龙·谐隐》），将滑稽与讽谏混为一体，这是古代在达官贵人和帝王身边的俳优最常用的方法。优施却又不同，他对里克进行规劝时，不仅以巧言婉转地陈述利害，而且载歌载舞。看来，优施应当是一个技兼歌舞和笑谑，以为讽谏的俳优了。

对于优孟的“表演”在中国戏曲发展史上的地位，有学者给以很高的重视。戏曲研究者任中敏在《唐戏弄·辨体》中说：

> 凡于言语调谑之外，尚兼有行动表演与情节者，纵其名目仍居“俳优”之下，而实际已是科白戏。

又说：

> 优孟以岁馀苦工，专象孙叔敖之生平，一旦登场，衣冠化装，抵掌谈笑，三日计议，转述妇言，而终以“山居耕田”之歌作结，使此诸说皆确，则优孟所为：化装也、表演也、歌唱也、情节也，四种成分之总和甚高，又何尝是舞蹈或角觝百戏，而可排之于戏剧以外？

任中敏指出优孟的“表演”中存在戏曲的因素，并显示了一种综合表演的趋势，是正确的。但他认为这种“表演”已经超越了舞蹈或百戏阶段，实际上已成了科白戏，则尚可商榷。

实际上，在这段记载中，属于“表演”范围的，只有“优孟前为寿”（其中当包括他在练习时所作的“为孙叔敖衣冠，抵掌谈语”之类），后面与楚庄王商议是否为相，要求与妇商议三日以及述说不想为相的理由，都属于优孟为孙叔敖后人争得封赏而设的“谲辞饰说”，“表演”部分虽有模仿动作，却无情节可言，只是一个要引起谏讽内容的由头。歌唱、说白虽有内容，却游离于“表演”之外。因此，我们只能说，优孟的“表演”确实包含着若干重要的戏曲因素，却远未达到向“戏曲”转化的地步。

总体来说，优莫、优旃、优施、优孟的区别，主要表现在言辞和讽谏方法上。至于从戏曲发展的艺术因素角度看，他们的差异并不突出。与汉武帝时的东方朔一样，都属于“应声辄对，变诈锋出”，寓讽刺于滑稽之中的一类。他们的言行，虽有表演意识，却还并不是真正的“表演”。真正可以称得上是“有科白的滑稽表演”的，要从三国时蜀汉刘备时代“许胡克伐”和晋成帝时以馆陶令贪污作为内容的表演开始算起。

《三国志·蜀书·许慈传》中记载刘备朝中有许慈和胡潜

两个学士，两个人因为公事常常发生异议，以至于发展到“谤讟忿争，形于声色，书籍有无，不相通借，时寻楚挞，以相震攇”。于是“先主愍其若斯，群僚大会，使倡家假为二子之容，效其讼阋之状，酒酣，乐作，以为嬉戏，初以辞义相难，终以刀杖相屈，用感切之”。此处记载以优伶扮演规定的情节和人物，于观众面前出演，是名副其实的“表演”。表演的内容比较简单，主要是模仿真人真事。“假为二子之容”，必有适当的化装追求形似；“效其讼阋之状”，是为摹仿表演；“乐作”，有音乐伴奏。“辞义相难”是以宾白仿效许慈、胡潜斗口“谤讟忿争，形于声色”。“刀杖相屈”，是表演中兼有武打，表现二人“时寻楚挞，以相震攇”。这里，已有简单的情节，表演的情景、动作已有一定的规定性和层次。从“酒酣，乐作，以为嬉戏”的说法看，这表演当具有“滑稽”的特征，因此，这“许胡克伐”应当可以算是科白并重的滑稽戏了。

《太平御览》引《赵书》：

石勒参军周延，为馆陶令，断官绢数百匹，下狱，以八议宥之。后每大会，使俳优著介帻，黄绢单衣，优问：“汝为何官，在我辈中？”曰：“我本为馆陶令。”斗数单衣曰：

“正坐取是，故入汝辈中。”以为笑。

这则表演，人物虽有所本，但虚构的情节，却说明已经存在创作的过程，或曾经有文学脚本存在，至少是已有有关情节、表演的具体构想。表演时的化装已经具有一种象征性：帻是古代“卑贱执事不冠者之所服也”（《后汉书·舆服》），平民所戴，周延着帻，表示他已被革职，黄绢是他贪污的标志，穿着黄绢单衣有示众的喜剧效果。而且二人表演，一问一答。有动作，抖擞单衣，以为笑料，这是形式上的一个重大突破。比起优孟衣冠的独角戏来，显得丰富而且风趣得多了。

从这些记载中可以看到，初期的有科白的滑稽表演具有以下特征：

①简单的情节具有滑稽或讽刺的特点。或本自“实事”，或进行虚构夸张，为表现既定的主题和达到讽喻和娱乐的目的服务。

②二人进行问答，以展示情节发展，成为主要的表演手段，奠定了南北朝的滑稽表演和唐代参军戏的基本格局。

③间或以音乐伴奏。

南北朝的俳优在思维的灵敏和辩论诘难的巧慧上，有长足的发展。对于有科白的滑稽表演的情节、内容的充实，起到了重要的作用。唐代侯白的《启颜录》中记载的北齐高祖时的优人石动筩的表演，比较富于戏剧性。敦煌卷子《启颜录·论难》篇载：

高祖又尝以四月八日斋会讲说，石动筩时在会中。有大德僧在高座上讲，道俗论难，不能相决。动筩后来，乃问僧曰："今是何日？"僧答云："是佛生日。"动筩即云："日是佛儿？"僧即变云："今日佛生。"动筩又云："佛是日儿？"众皆大笑。

《太平广记》卷二四七引唐侯白《启颜录》载：

又尝于国学中，看博士论难云："孔子弟子，达者有七十二人。"动筩因问曰："达者七十二人，几人已着冠？几人未着冠？"博士曰："经传无文。"动筩曰："先生读书，岂合不解！孔子弟子已着冠有三十人，未着冠有四十二人。"博士曰："据何文以辨之？"曰："《论语》云：'冠者五六人'，五六三十人也，'童子六七人'，六七四十二人也，岂非七十二人？"坐中皆大悦，博士无以复之。

南北朝时，僧人讲经和博士论难经常举行，其时都可有世俗人等参加，而且可以提出问题求得解释，或进行诘难。石动箭就是借这样的机会去制造笑料。第一段是石动筩参加僧俗辩难，第二段是石动筩去参加博士讲经，利用汉语中一字多义或一语多讲的特点，随心所欲，歪讲附会，杂出诡言。僧答“是佛生日”（今天是佛的生日），石动筩歪解为“是佛生了日”，倒过来就成了“日是佛儿”。僧听了他的歪讲，连忙改口说“今日佛生”，不料又被石动筩歪解为“佛是日儿”。因为无论“日是佛儿”还是“佛是日儿”都是侮佛之语，因此，那僧人也就被弄得很尴尬，观者大笑。而与博士的歪缠，是因为“冠”字既可释为“冠礼”，又可解为“帽子”，“五六人”“六七人”以乘法计算就已经很滑稽了，加起来却又恰好七十二人。歪讲加上巧合，再加上博士被缠得张口结舌，当然就得到了“坐中皆大悦”的喜剧效果。类似的表演，在《启颜录》中还有多则记载。

这种以僧人和俗人、儒者和艺人辩论诘难的形式出现的调谑，实质上也是一种有科白的二人滑稽表演。有问有答，诙谐滑稽，表演有一定的情节，都符合滑稽表演的基本特征。虽然那作为石动筩的搭档的僧人和博士并未与石动筩事先排练，但僧人、博士的答话和表情，却早已在石动筩的预料之中。当然，对有科白的滑稽表演来说，这种形式并不能算是一种很大的创新和改变，而只能算是一种特殊的格局。但从情节和内容上看，却可以说是有了一种向纵深发展的趋势。

截止到南北朝，作为我国戏曲萌芽的古代伎艺，如前所述，是顺着两条线索发展的。一为源于巫的歌舞戏，一为源于俳优的滑稽戏。歌舞戏以“声容”为主要特点，而滑稽戏以“科白”为重要特征。歌舞戏着重表现一种情态，偏于抒发情感，滑稽戏则主要揭示某种观点，偏于叙事。它们之间虽然不是完全不相干，有时会彼此发生局部融合，有时又会与其他伎艺发生渗透，但它们基本上呈现出各自独立的形态发展，而且形成了自己的相对稳定的特征。它们还没有走到可以互相完全融为一体的地步，它们所具有的艺术因素如故事情节、表演技巧等，也都较为简单，各种艺术表现之间的综合也还谈不上充分。

交汇融合的趋势

任讷认为“歌舞戏”与“科白戏”到唐代时“皆有空前之发展，且甚平衡。在歌舞戏，纵面承接汉晋南北朝之渊源，横面采纳西域舞戏之情调，陶融变化以后，表现的方式颇多，实奠定后世生旦戏与武技戏之基础”（《唐戏弄》）。其中强调了“纵面承接”和“横面采纳”对于戏曲发展的重要作用，这种认识是有道理的。准备期的戏曲到了唐代，确有重要的变化。这种变化首先是表现在形式上。在唐代，歌舞表演和滑稽表演虽然仍是并立的两种艺术形式，但已有明显的横向融合趋势。其次，也是更重要的，是表现在内容的充实上，内容的“充实”，得力于唐代歌舞乐的发达，更得力于唐代传奇小说、变文俗讲一类叙事文学的臻于完善。所以，唐代戏曲的“横面采纳”就绝不止于“西域舞戏之情调”了。

唐代是我国历史上一个富于理想和艺术色彩的时代。开明的政治气候、经济的复苏和发展、对外开放的政策、南北文化交汇和胡汉文化交流，都为多姿多彩的文化艺术的发展和创新，提供了必要的条件。这些条件激发了文学艺术自身潜在的力量。这个时期，两晋时代政治上的恐怖感、北朝的压抑感和南朝的没落感，都为一种奋发和乐观的精神所代替，人的创造力和主观能动精神也得到比较充分的发挥。

乐观而稳定的社会环境，宽容而浪漫的时代气氛，促进了唐代诗文、音乐、舞蹈、绘画、传奇等文学艺术形式的发展。不必过于仔细地考察，就可以发现它们于唐代多有质的变化。诸如：诗文于唐代，扫除了六朝铅华，在体制、格律、内容构成上都建立了新的崇尚，开辟了一个辉煌的黄金时代；唐代音乐和舞蹈更多地吸收外来的影响，风格和手法都富于新意；绘画艺术方面，“气韵生动”“形神兼备”的审美观开始代替对“形似”的崇尚，与两晋南北朝划开了界限；唐传奇“叙述宛转，文辞华艳，与六朝之粗陈梗概者较，演进之迹甚明”（鲁迅《中国小说史略》）。在这种文化艺术取得重大发展，文学艺术的各种形式互相交汇和促进的环境里，戏曲发展也走到一个转捩点，就是很自然的事情了。

前面说过，戏曲在唐代的发展变化，首先是表现在形式上，即歌舞表演和滑稽表演虽然仍属两途，但已有明显的融合趋势。说唐代歌舞表演和滑稽表演已有艺术形式上的“融合”，是说它们对于对方的主要表现手段的吸收。不过，这种“融合”只表现为一种“趋势”，也就是说这种“融合”是属于局部的、不稳定的，并未因而构成一种新的艺术样式。

唐代帝王中雅好歌舞者不少。初唐武则天久视元年曾于宴上看儿女辈作戏：玄宗、岐王、代国长公主舞“长命女”、弄“兰陵王”、舞“西凉”。中宗于两仪殿大宴群臣时曾观看胡人演“合生”，被大臣武平一批评。中唐代宗、穆宗，晚唐懿宗都喜欢倡优戏弄。盛唐玄宗，更不止于喜好，他是以一种艺术家的执着，经营唐代的歌舞伎艺：访召女乐、设置教坊、制歌作曲、亲临指挥、推波助澜，使盛唐歌舞和杂戏众体兴盛，变态多端。

玄宗开元二年于“京都置左右教坊，掌俳优、杂伎，自是不隶太常，以中官为教坊使”（《新唐书·百官志》）。这里的“俳优、杂伎”又常与歌舞等一同统称“散乐”，与汉代以“散乐”代称“百戏”，在内容实质上既有联系，又有不同。杜佑《通典》言：“散乐……俳优歌舞杂奏，玄宗以其非正声，置教坊于禁中以处之。”这“散乐”虽非正声，但它内容丰富，包罗万象，且得天子青睐。唐人段安节《乐府杂录》中的“驱傩”“熊罴部”“鼓架部”“龟兹部”“胡部”“舞工”各部，都各有擅长的有情节的歌舞表演，而“俳优”一部，主要搬演有科白的滑稽戏。“散乐”和“俳优”是玄宗的教坊中非常重要的两个组成部分，朝会、宴飨、节日雅集，都主要由这两部分进行表演。玄宗把俳优正式隶入教坊散乐，为有科白的滑稽表演系统与杂伎所擅长的有情节的歌舞表演系统的互相影响，提供了方便的条件。

这种“影响”首先表现在歌舞表演中出现了“宾白”和“科介”。

崔令钦《教坊记》在介绍了“踏谣娘”的故事梗概及在北

齐的演出情况之后，还讲到“踏谣娘”演出在唐代变化的两个方面，一是“妇人为之”，不必再男扮女装。二是加一角色“典库”，这“典库”职司“调弄”。

天宝年间常非月有诗《咏谈容娘》：

举手整花钿，翻身舞锦筵。马围行处匝，人簇看场圆。歌要齐声和，情教细语传。不知心大小，容得许多怜。

其中“情教细语传”，说明表演中已有宾白对话表情达意。而典库的“调弄”，除了说明典库与女主角有对话外，还说明对话的内容带有滑稽调谑的成分。“举手整花钿”当然是“科介”无疑，而“调弄”也是离不开动作的。

如果说指出唐代“踏谣娘”表演中有宾白和科泛还带有推测的成分，那么对“西凉伎”做这样的判断，便不会有什么疑问。

白居易有新乐府诗《西凉伎》。西凉即凉州，为唐代边地重镇，在今河西陇右一带。天宝年间有些乐曲，都以边地为名，如“凉州”“甘州”“伊州”等（见《新唐书·乐志》）。“凉州”曲当是吸收了西凉音乐制成的曲调。而“西凉伎”则应该是西凉胡伎了。白居易的原诗是借描述西凉胡伎的表演以“刺封疆之臣”的（见白居易诗原注），现在却因为其中涉及了演出的情况而成为难得的史料。诗云：

> 西凉伎，假面胡人假狮子。刻木为头丝作尾，金镀眼睛银帖齿，奋迅毛衣摆双耳，如从流沙来万里。紫髯深目两胡儿，鼓舞跳梁前致辞。应似凉州未陷日，安西都护进来时。须臾云得新消息，安西路绝归不得。泣向狮子涕双垂：凉州陷没知不知？狮子回头向西望，哀吼一声观者悲……

这“西凉伎”表演了一个时事故事，背景是安史之乱后，凉州陷于吐蕃之手，安西路断的时候。表现了两个被阻于内地思归不得的胡儿对乡土的怀念。这是个歌舞表演，“奋迅毛衣摆双耳”及“鼓舞跳梁”都是对“狮子”和胡儿舞蹈形象的描绘。人与“动物”的舞蹈表演，早有汉代“东海黄公”“西方老胡”为始作俑者，这里值得注意的是两个胡儿的“致辞”和胡儿与“狮子”的表情动作。此处“致辞”与后来宋代出现的于表演歌舞之外，仅起叙述、评论、介绍作用的“致语”“口号”不同，这里的“致辞”是出于演员所扮胡儿之口，是名副其实的“说白”了。其中“应似凉州未陷日，安西都护进来时。须臾云得新消息，安西路绝归不得”，从口气上看，应该是胡儿向观者介绍自己的遭遇。而“凉州陷没知不知”和狮子“哀吼一声”，当是表演中“角色”（人与动物）的对白。配合这些演员向观众的说白和演员之间的对白，也有相应的情感上的“对答”：胡儿“泣向狮子涕双垂”，表示悲伤，狮子“西望”表示思乡，胡儿自我介绍时，也必有哀戚的表情相对应。

总而言之，唐代歌舞表演中，已有原属于科白类滑稽表演主要表演手段的“科”“白”存在。虽然没有流传下来的剧本作为凭据，但《咏谈容娘》中“情教细语传”的“细语”、《西凉伎》诗中的“致辞”、《新唐书》中记载的武则天时代胡人演唱“合生”中“浅秽”的“歌言”、歌舞表演“义阳主”中的“巧语”（白居易《江南喜逢萧九彻因话长安旧游喜赠五十韵》）都可作为唐代歌舞表演中已采用对话来加强表现力的证明。配合这些对白，演员是必定会有相应的表情配合的。演员表情（科、介）的表现，也就是上面所述的“踏谣娘”中的“调弄”、“西凉伎”中的“胡人”的“涕双垂”、“狮子”的“西望”以及“合生”中对妃主王公情性、体貌、声名、秉性的仿效等。

除了这里所说的剧中人物的“对白”之外，唐代歌舞表演中，还出现一些与剧情发生有机结合的由剧中人进行的叙述性“说白”，如《全唐文》中郑万钧《代国长公主碑文》载：“初，则天太后御明堂，宴，圣上年六岁，为楚王，舞长命□，□□年十二，为皇孙，作安公子，岐王年五岁，为卫王，弄兰陵王，兼为行主词曰：‘卫王入场，咒愿神圣神皇万岁，孙子成行。’公主年四岁，与寿昌公主对舞西凉……”《唐语林》载：“玄宗宴蕃客，唐崇勾当音声，先述国家盛德，次序朝廷欢娱，又赞扬四方慕义，言甚明辩，上极欢……”

岐王的“行主词”和唐崇的长篇致辞，都是歌舞表演前的“致语”，这“致语”为语体白话，在不同的场合长短不拘，内容也可能不同，起着静场和报幕两大作用，是后世歌舞表演上场前的“竹竿子”和南戏、传奇的“副末开场”的祖祢。

唐代的参军戏，也有不同程度的“歌舞”杂入其中。这些情况，虽然史书失载，但从一些笔记、诗歌中，尚能窥见端倪。如范摅《云溪友议》云：

> （元稹）廉问浙东……有俳优周季南、季崇及妻刘采春自淮甸而来。善弄陆参军，歌声彻云。篇韵虽不及（薛）涛，容华莫之比也。

唐薛能《吴姬》诗云：

楼台重叠满天云，殷殷鸣鼍世上闻。此日杨花初似雪，女儿弦管弄参军。

这参军戏，已经不是参军和苍鹘二人在台上表演一个简单的笑话，以参军击打苍鹘或苍鹘击打参军作结，而是由年轻美貌善歌能舞的女子表演，其中穿插有彻云的歌声、动听的音乐。

戏曲于唐代的发展变化之二，是在故事内容、情节组织和人物刻画上都更讲究了。在这一点上，戏曲与唐代传奇小说的发展几乎是同步进行的，或者还应当说，戏曲得力于这一时期取得长足发展的传奇小说的推动。

当汉代戏曲舞台上正以神仙方术、鬼魅妖怪、殊方异事炫人眼目，东海黄公、西方老胡翩翩起舞时，小说正处于“志怪”阶段。稍加注意就会发现，“东海黄公”和“西方老胡”中驱邪厌胜的巫士、上天入地的异人、长生不老的彭祖、亦人亦神的西王母，都在志怪小说《西京杂记》《搜神记》中多次出现。而且，歌舞表演和志怪小说在“传录舛讹”“粗陈梗概”，只有粗线勾勒，没有具体刻绘，只叙事情因果，并不描写人物心理感情变化等方面也大致相同。

当小说从志怪、志人进入传奇的创作阶段时，戏曲也在创作方法上有了一个较大的变化。

唐代传奇作家开始有意识地创作小说，着眼于对现实生活做深入细致的描写。首先，他们在故事的整体结构上，进行巧妙的构思，结撰曲折的情节。其次，运用细节刻画人物，塑造鲜明的人物形象。唐代传奇小说中开始出现情节上非常丰富的小说。唐传奇将小说从志怪的狭小天地，引向反映现实生活，揭露现实生活中的社会矛盾，表现作者的社会、人生理想的广阔道路。

与唐代传奇脱离志怪小说搜奇记逸、粗陈梗概的阶段相应和，唐代歌舞表演和滑稽表演在构撰情节和刻绘人物方面，也有了相当大的进步。显然，简单的表情达意式的“钵头”“兰陵王入阵曲”“踏谣娘”等，已难以满足观众的需要，因此唐代无论是歌舞表演还是滑稽表演，都开始注意到情节的曲折和人物特征的鲜明。前面谈到的北齐的“踏谣娘”在唐代表演时增加人物（典库），扩展情节（调弄）；“西凉伎”中的胡人以说白自叙来历，以对白与“狮子”进行情感交流，都体现了这方面所做的努力。其他如歌舞表演“凤归云”、有科白的滑稽表演“三教论衡”和“崔铉家事”也较为突出。

今存敦煌卷子中《云谣集杂曲子》内有“凤归云”二首。由于这“凤归云”在敦煌卷子中同时有舞谱存在，所以，可以断定，“凤归云”一定是一个歌舞表演。

《敦煌曲校录》载有“凤归云”曲词，它描述了这样的故事情节：一个锦衣贵公子，见到一位美貌的东邻女子，这女子衣衫得体，容颜俏丽，意态娇美，使公子垂鞭停马，不能自持。女子对钟情的贵公子说：我是名门显宦出身，从小生长在深闺，受过很严格的教育，我已有了丈夫，他为国出征到很远的地方去了，为了靖难和求得功名，不知几时才可以回来。我一心一意等待我的夫婿，像鲁女一样坚贞不二，请原谅，空劳公子你牵肠挂肚。

唐高择《群居解颐》记载懿宗时事：

> 咸通中，优人李可及者，滑稽谐戏，独出流辈。虽不能托讽匡正，然智巧敏捷，亦不可多得。尝因延庆节，缁黄讲论毕，次及倡优为戏。可及乃儒服险巾，褒衣博带，摄齐以升崇座，自称“三教论衡”。其隅坐者问曰：“既言博通三教，释迦如来是何人？”对曰：“是妇人。”问者惊曰：“何也？”对曰：“《金刚经》云：‘敷座而坐。’或非妇人，何烦夫坐，然后儿坐也？”上为之启齿。又问曰：

“太上老君何人也？”对曰：“亦妇人也。”问者益所不喻。乃曰：“《道德经》云：‘吾有大患，是吾有身。及吾无身，吾复何患？’倘非妇人，何患乎有身乎？”上大悦。又问：“文宣王何人也？”对曰：“妇人也。”问者曰：“何以知之？”对曰：“《论语》云：‘沽之哉！沽之哉！吾待贾者也。’向非妇人，待嫁奚为？”上意极欢，宠锡甚厚。翌日，授环卫之员外职。

这里所记李可及的表演，显然是北齐时代石动筩滑稽表演的继续和发展，但是，二人演出，一主一从，主角为参军，即“摄齋以升崇座”者，次角为苍鹘，即“隅坐者”。是名副其实的“参军戏”。参军自称博通三教，却将如来、太上老君、孔子说成是“妇人”，而且全有“根据”，从而造成滑稽的效果。

唐人无名氏《玉泉子真录》记载了宣宗大中初崔铉家事：

崔公铉之在淮南，尝俾乐工集其家僮，教以诸戏。一日，其乐工告以成就，且请试焉。铉命阅于堂下，与妻李坐观之。僮以李氏妒忌，即以数僮衣妇人衣，曰妻曰妾，列于旁侧，一童则执简束带，旋辟唯诺其间。张乐，命酒，不能无属意者，李氏未之悟也。久之，戏愈甚，悉类李氏平时所尝为。李氏虽少悟，以其戏偶合，私谓不敢而然，且观之。僮志在发悟，愈益戏之。李果怒，骂之曰：“奴敢无礼，吾何尝如此？”僮指之，且出曰：“咄咄！赤眼而作白眼讳乎！”铉大笑，几至绝倒。

这应当是一个取材于实事的滑稽的参军戏，但突破了参军戏两个角色的体制。扮演惧内官人的，应当是参军，而“数僮衣妇人衣，曰妻曰妾”不止二人，是为苍鹘。剧情梗概应当是一个官人有妻、妾多人，妻子悍妒而官人惧内，弄得家里不得安宁。由于这段记载并非直接描述演出的剧情，而是记录崔铉以这个表演来疗妒，感悟妻子李氏，所以我们只能从李氏的反应中，推测这个表演的内容情节。开始是那官人“旋辟唯诺其间”，大概意在息事宁人，李氏还未有所悟，接着“戏愈甚，悉类李氏平时所尝为”，当有许多具体情节，模仿李氏平时行为。李氏虽少有所悟，但以为是事出偶合。接着，演戏家僮“愈益戏之”，更将李氏平时所作所为加以夸张渲染，以致李氏终于明白了，而且大骂：“奴敢无礼，吾何尝如此？”

上面所引述的歌舞表演“凤归云”、有科白的滑稽表演“三教论衡”和“崔铉家事”，在情节内容上，都具有了一定的丰富性。“凤归云”故事属于“陌上桑”一类，完整地表现了一对青年男女发乎情，止乎礼义的感情过程。岑参有诗《玉门关盖将军歌》：“……美人一双闲且都，朱唇翠眉映明矑。清歌一曲世所无，今日喜闻凤将雏。可怜绝胜秦罗敷，使君五马谩踟蹰……”其中讲到的“美人一双”表演的秦罗敷故事“凤将雏”，可能就是敦煌曲子“凤归云”（参见任半塘《唐戏弄》）。

“三教论衡”也不再是一个简单的笑话，却是表演儒生歪解经书的较为复杂的过程，不仅歪讲了《金刚经》《道德经》，而且错解了《论语》。先抛出如来是妇人的惊人论点，然后以佛家经典《金刚经》做根据，又提出太上老君是妇人的荒唐说法，之后以道家经典《道德经》为解释，最后讲孔子是妇人，即以孔子自己的话为依据。从结构上看是一波未平，一波又起，从内容上看，也是层层深入的。后世戏曲中有所谓“插科打诨”的情节，起到烘托气氛和塑造人物性格的作用，正是这类“歪讲”表演的继续。

从人物刻画上看，这些唐代歌舞表演和滑稽表演中的人物，也逐渐具有了一些性格特征。“西凉伎”中的胡儿和狮子，都对家乡的沦陷怀着深深的痛苦；“凤归云”中的贵公子是钟情而温厚的形象，而那女子娴静、坚贞而又温婉；“三教论衡”中那个儒生给人以机敏、辩慧的印象；“崔铉家事”中那扮演李氏的演员，一定是把妒而悍的河东狮吼表演得淋漓尽致，才会使观者“几乎绝倒”。“妖伎胡人”所搬演的“合生”，其内容是“或言妃主情貌，或列王公名质”恰恰说明了唐代的歌舞和滑稽表演对刻画人物性格、体貌倾注了极大的兴趣。

唐代歌舞表演和滑稽表演的无名氏创作者，虽然没有最终促成真正的“戏曲”的诞生，但他们为戏曲的质变，做了重要的准备工作。

从文学角度看，作者对情节和人物性格的注重，使这些表演节目已经初步具备了转化为真正意义上的戏曲文学的条件。

从艺术上看，角色分工已见端倪（生、旦戏，参军戏都有了比较稳定的角色分工），科、白、歌、舞都有了进一步的发展，并产生了合一的趋势。至此，“戏曲”的诞生，不过只是“一朝分娩”的事了。

二　戏曲形式走向完备

宋、金在戏曲发展的历史上，是这样一个关键性的时代：源远流长的歌舞表演和滑稽表演以及百戏杂艺在有了长足的发展之后，完成了“合成”的关键性的一步。这种“合成”并非只是简单的二水合流，而是一个复杂、交错的互相吸收，而后构成新质。从某种意义上说，宋大曲、宋杂剧、金院本、金诸宫调、南曲戏文，都可以称得上是“合成”之后的新的艺术形式或新的文学样式。作为北杂剧母体的宋代大曲和金诸宫调以及南曲戏文都有文学脚本流传至今，宋杂剧和金院本都有名目和其他有关情况记载可寻，使我们可以看到最初的戏曲文学的体裁样式，推想当时的演出情况。

上一章我们已经谈到，在唐代，歌舞表演和滑稽表演的创作演出有了明显的发展，并且出现了不同艺术形式融合的趋势。这是宋代戏曲形成的内部条件。从外部条件上看，则宋金时代的社会情况、社会风尚、经济条件等，都构成了戏曲体式确立的有利环境。

宋太祖在开国之初的“杯酒释兵权”的戏剧性政治措施，奠定了两宋君主于政事的基本国策。宋代国君严守祖训，“守内虚外”，重于安内疏于攘外，以免再碰上“黄袍加身”一类的事。宋朝建国之初，宋太祖就对石守信等功臣说：“人生驹过隙尔，不如多积金，市田宅，以遗子孙，歌儿舞女，以终天年。君臣之间无所猜嫌，不亦善乎？”这坦率的说法，立即赢得大臣的赞同。

宋室帝王表现了“以身作则”地引导追求声色犬马享乐的倾向。《宋史·乐志》记载：“宋初循旧制，置教坊，凡四部。其后平荆南，得乐工三十二人；平西川，得一百三十九人；平江南，得十六人；平太原，得十九人；馀藩臣所贡者八十三人，又太宗藩邸有七十一人。由是四方执艺之精者皆在籍中。”规模之大，相当可观。御用乐队有大曲四十，法曲二；队舞中小儿队七十二人，女弟子队一百五十三人。“百戏有蹴毬、踏跷、藏擫、杂旋、狮子、弄枪、铃瓶、茶碗、毡龊、碎剑、踏索、上竿、筋斗、擎戴、拗腰、透剑门、打弹丸之类”（《宋史·乐志》），将天下伎艺网罗殆尽。

北宋帝王中，富有艺术气质的不少：“太宗洞晓音律，前后亲制大小曲及因旧曲创新声者，总三百九十。”“真宗不喜郑声，而或为杂词，未尝宣布于外。”“仁宗洞晓音律，每禁中度曲，以赐教坊。或命教坊使撰进，凡五十四曲，朝廷多用之。”（《宋史·乐志》）宋徽宗雅好花石，擅长丹青……他们的个人爱好，包括酣歌醉舞花石之役，既推动了艺术的繁荣，又都曾给一个时代带来了灾难。《东京梦华录》记载的“宰执亲王宗室百官入内上寿”的场面：饮酒九盏，都有各色歌舞相配合。其中，小儿队集体舞蹈演员计有二百余人，女童队有妙龄女子四百余人，其余教坊乐部三四百人（马端临《文献通考》），加上百戏、杂剧、歌舞诸演员，这场面，要一千多人才能支撑得下来。至于“每年春秋圣节三大宴”（《宋史·乐志》）以及即兴式的“驾幸临水殿观争标锡宴”“驾登宝津楼诸军呈百戏”（《东京梦华录》）之类的活动，都是百戏纷呈，靡费无算，奢华到了极点。

在这种情况下，民间也竞相追欢取乐。宋朝城市经济发展，手工业崛起，开矿、冶铁、丝织、制瓷、造纸、造船，五行八作十分发达，商业也迅速发展，促使城市市民阶层出现，产生了农业文明中的市民文化。民间的节日盛会，繁文缛节，勾栏酒肆，歌童舞伎都应运而生了。比如北宋时期中元节前，“构肆乐人自过七夕，便般目连救母杂剧，直至十五日止，观者倍增”（《东京梦华录》）。除夕驱傩，有下桂府曾于政和间进大傩面具“以八百枚为一副，老少妍陋，无一相似者”（陆游《老学庵笔记》）。东京汴梁更有“京瓦伎艺”日日营业：小唱、嘌唱、杂剧、傀儡、讲史、小说、散乐、影戏、弄虫蚁、诸宫调、商谜、合生、杂哳（或作“杂扮”）、叫果子……名目繁多，不可胜数。而且生意兴隆，“不以风雨寒暑，诸棚看人，日日如是”（《东京梦华录》）。王枺《燕翼贻谋录》所言“咸平、景德以后，粉饰太平，服用寝侈，不惟士大夫家崇尚不已，市井闾里以华靡相胜，议者病之”，并非夸张之辞。发展到南宋更甚，元夕观灯“遍呈舞队，密拥歌姬，脆管清吭，新声交奏，戏具粉婴，鬻歌售艺者，纷然而集”。二月八日为桐川张王生辰，“百戏竞集”。四月初酒库开煮，“杂剧百戏诸艺之外，又为渔父习闲、竹马出猎、八仙故事”。元正赏灯、立春开宴、元夕张灯、中和挑菜、仲春试茶、放春赏花、清明祭扫、浴佛放生、煮酒迎新、端午禳禬、夏日避暑、七夕乞巧、中元斋醮、中秋赏月、浙江观潮、重九赏菊、开炉授衣、冬至贺冬、年终岁除……无怪宋人自谓“盖辇下骄民，无日不在春风鼓舞中，而游手末技为尤盛也”（宋·四水潜夫《武林旧事》）。所谓“游手末技”，是指在各种节日进行娱乐的项目，内容包括说经、小说、影戏、唱赚、小唱、杂剧、弹唱、诸宫调、说诨话、商谜、覆射、学乡谈、舞绾百戏、神鬼、撮弄杂艺、泥丸、踢弄、傀儡、清乐、角觝、乔相扑、女飐、使棒、举重、打弹、蹴毬、射弩儿、散耍、装秀才、吟叫、教走兽、烟火等等。

两宋时期，更多的各种歌舞杂伎从宫廷走入民间，城市中已有“构肆”这样的固定演出场所可以长期演出。观众是一般市民，目的是为消遣，演戏和看戏双方，都带有一种商业目的。构肆并有“应节戏”上演，而且有像“目连救母”这样的大规模的“杂剧”出现。当然，我们说戏曲形成于宋，并不是仅仅因为宋人笔记中出现了关于所谓“杂剧”的记载，主要还是因为无论从演出，还是从今存剧本的文体上看，宋“杂剧”和南戏都具备了戏曲达到完备阶段所应具有的基本因素。

宋代大曲与诸宫调

宋代大曲与宋金诸宫调已经不同于唐代大曲，它的叙事方式和音乐构成及其所包含的代言因素，都说明它们与戏曲有最近的血缘关系。

唐、宋“大曲”，狭义指文学体裁，广义则指包含这种曲词的歌舞表演。这里主要谈作为文学体裁的“大曲”，但有时难免会涉及表演形式。

从文学的角度看，唐代大曲实际上是抒情诗。表演时则是多首五、七言诗的联唱歌舞。

宋王灼《碧鸡漫志》载：

> 凡大曲有散序、靸、排遍、攧、正攧、入破、虚摧、实摧、衮、遍、歇指、煞衮，始成一曲，此谓大遍。

这十二个部分分为“散序”“中序”和“破”三段。十二个部分中的前两部分是“散序”部分。“排遍”“攧”“正攧”为“中序”部分。而“入破”以后为“破”。这三个部分大概包含有序曲转入正曲，再转入高潮的起承转合的过程。

《乐府诗集》收有唐大曲“凉州歌”两遍，共计五段曲词。前三段为“散序”内容，后两段为“中序”内容。从这些五、七言歌词可以看出，它们并非出于一人之手，也并非为同一主题而创作，而只是旧有作品的配乐叠唱。各段之间从内容上、语气上也并无必然的联系，只是对一个事件或一个情景的描述。《乐府诗集》中《近代曲辞》部分所收的其他唐代大曲曲词，也不出此范式。唐朝毕竟是诗的天下，吟咏歌舞，无处不诗。

宋代大曲虽上承唐制，却又有重要的发展和变化。试以《乐府雅词》中所载宋代董颖“道宫薄媚·西子词”为例，观察其与唐代大曲体制上的区别。由于全曲很长，只能选录几段：

排遍第八

怒涛卷雪，巍岫布云，越襟吴带如斯。有客经游，月伴风随。值盛世，观此江山美，合放怀，何事却兴悲？不为回头，旧国天涯，为想前君事，越王嫁祸献西施。吴即中深机，阖庐死有遗誓，勾践必诛夷！吴未干戈出境，仓卒越兵，投怒夫差，鼎沸鲸鲵。越遭劲敌，可怜无计脱重围！归路茫然，城郭邱墟。飘泊稽山里。旅魂暗逐战尘飞，天日惨无辉。

排遍第九

自笑平生，英气凌云，凛然万里宣威。那知此际，熊虎途穷，来伴麋鹿卑栖。既甘臣妾犹不许，何为计？争若都燔宝器，尽诛吾妻子，径将死战决雄雌，天意恐怜之。偶闻太宰正擅权，贪赂市恩私，因将宝玩献诚。虽脱霜戈，石室囚系，忧嗟又经时，恨不如巢燕自由归。残月朦胧，寒雨潇潇，有血都成泪，备尝险厄反邦畿，冤愤刻肝脾。

第十攧

种陈谋，谓吴兵正炽，越勇难施；破吴策，唯妖姬。有倾城妙丽，名称西子岁方笄。算夫差惑此，须致颠危。范蠡微行，珠贝为香饵，苎萝不钓钓深闺，香饵果殊姿……

入破第一

窣湘裙，摇汉珮，步步香风起。敛双蛾，论时事，兰心巧会君意。殊珍异宝，犹自朝臣未与，妾何人被此隆恩，虽令效死奉严旨。隐约龙姿忻悦，重把甘言说。辞俊美，质娉婷，天教汝众美兼备。闻吴重色，凭汝和亲，应为靖边陲。将别金门，俄挥粉泪，靓妆洗。

第二虚摧

飞云驶香车，故国难回睇，芳心渐摇，迤逦吴都繁丽。忠臣子胥，预知道为邦祟，谏言先启，愿勿容其至。周亡褒姒，商倾妲己。吴王却嫌胥逆耳，才经眼，便深恩，爱东风暗绽娇蕊。彩鸾翻妒伊。得取次于飞，共戏金屋，看承他宫尽废。

第六歇拍

哀诚屡吐，甬东分赐，垂暮日，置荒隅，心知愧。宝锷红委，鸾存凤去，辜负恩怜，情不似虞姬。尚望论功，荣归故里。降令曰：吴无赦汝，越与吴何异。吴正怨，越方疑，从公论合去妖类。峨眉宛转，竟殒鲛绡，香骨委尘泥。渺渺姑苏，荒芜鹿戏。

第七煞衮

王公子，青春更才美，风流慕连理。耶溪一日，悠悠回首凝思。云鬟烟鬓，玉珮霞裾，依约露妍姿。送目惊喜，俄迂玉趾。同仙骑洞府归去，帘栊窈窕戏鱼水。正一点犀通，遽别恨何已！媚魄千载，教人属意，况当时金殿里。

转引自王国维《戏曲论文集》

今存的“道宫薄媚·西子词”是以十段叙事体歌词歌咏一个故事。这里引录的其中七段，叙写了西施的经历。从吴灭越开始，到越灭吴终止，当是作者专为歌舞而创作的。一头一尾为兴发感动之词，中间八段分别为勾践自叹、文种献策、范蠡微行、西施辞国、吴王纳宠、耽乐荒政、吴弱越强、越国兴兵、灭吴埋艳。开头讲一个客人途经吴越，凭吊旧事。结尾写“王公子”于耶溪遇西施“媚魄”，一同仙去。

这里，值得注意的有三点。第一，宋代大曲已经进入了咏叙故事和人物的阶段，不再像唐代大曲那样，仅是抒情小诗的组合。尤其开头一段概述剧情，既类唐、宋歌舞之前竹竿子的“致语”，又像南戏中的副末开场。结尾一段则直是一个“大团圆”的结局了。同时，这些歌词在叙述故事和刻画人物上，也相当细致，在这一点上，唐、宋大曲不可同日而语。第二，宋代大曲虽然整个来说，还是叙事体，但其中已有代言的成分。从文体上看，咏唱语气与诸宫调十分类似。其中有的部分显然是独白或对白。对于这一部分，虽然不必一定理解为分角色演唱，但口吻显然已与纯粹叙事体大有差异。最明显的例子是“排遍第九”，从“自笑平生”到“天意恐怜之”，全是勾践自思自叹的语气；“第十攧”中“种陈谋谓”之后的“吴兵正炽……算夫差惑此，须致颠危”显然是模仿文种口气；“入破第一”中的“妾何人被此隆恩，虽令效死奉严旨”和“辞俊美，质娉婷，天教汝众美兼备，闻吴重色，凭汝和亲，应为靖边陲”，当是西施与范蠡的对话；“第二虚摧”中“愿勿容其至。周亡褒姒，商倾妲己”，是伍子胥的愤慨之言。这些部分，即使不是分角色演唱，也必定要由歌唱者用不同的处理方法传达出与叙事部分的区别，如同诸宫调一样。如果从唐代歌舞“踏谣娘”已有踏谣娘、苏中郎、典库三人上场来看，这“道宫薄媚·西子词”歌舞或许也可能至少有八个人物登场：勾践、夫差、文种、范蠡、西施、伍子胥、客和王公子（或许这是一个人）。第三，宋代大曲变唐代大曲的齐言为杂言，三、四、五、六、七言和长短句在歌词中都参差出现。这当然与宋代是词的时代有关，但也是为了适应独白和对话而产生的变化。

当然，这大曲“道宫薄媚·西子词”还并不是“戏曲”，它虽然具有了故事性强、有代言部分等戏剧因素，但它并未显示出以人物扮演的特点，形式上也还未出歌舞表演的格局。

宋代史浩《鄮峰真隐漫录》中载有“剑舞”的表演部分的说明，可以说明宋代大曲表演的戏剧化到了怎样的程度。

剑舞

二舞者对厅立裀上……乐部唱《剑器曲破》，作舞一段了，二舞者同唱《霜天晓角》……

乐部唱曲子，作舞《剑器曲破》一段。舞罢，二人分立两边。别二人汉装者出，对坐。桌上设酒果。竹竿子念……

乐部唱曲子，舞《剑器曲破》一段。一人左立者，上裀舞，有欲刺右汉装者之势，又一人舞进前，翼蔽之。舞罢，两舞者并退。汉装者亦退。

复有两人唐装者出，对坐，桌上设笔砚纸，舞者一人换妇人装，立裀上。竹竿子念……

乐部唱曲子，舞《剑器曲破》一段，作龙蛇蜿蜒曼舞之势。

两人唐装者起。二舞者，一男一女，对舞。结《剑器曲破》彻。竹竿子念……

念了，二舞者出队。

这“剑舞”就是所谓“剑器舞”，属于“健舞”一类。宋代“教坊”舞队专有“剑器队”，可能是专为表演这类舞蹈而设立的。在这段记载里，剑器舞穿插在两个故事之中，这两个故事，一是汉代的“鸿门宴”，另一是唐代杜甫、张旭观公孙大娘舞剑器。两个互不相干的故事之所以合在一起表演，主要是因为它们都有剑器舞，可见这里的人物设置，还是服从于舞蹈的。前一段的表演者起码有五人，除了二人装扮刘邦、项羽，二人为舞蹈者的项庄、项伯外，尚有一个竹竿子负责用“旁白”介绍剧情，说明故事。剧情经历了刘邦、项羽饮酒，项庄舞剑，“欲刺”刘邦，项伯亦舞剑，“进前翼蔽之”护佑汉王等几个阶段。开首由乐部以歌唱开场，后面由竹竿子用“致语”收束，中间还时有“乐部唱曲子”和“舞者同唱”来连缀剧情。

由此看来，这“剑舞”虽说仍然不脱歌舞表演的格范，但也可以算是一个“唱、念、做、打”兼具的组合体了。比起唐以前的歌舞表演来，它要丰富得多，在歌舞表演向着“戏曲”

发展的道路上已大大前进了一步。当然，它不是严格意义上的“戏曲”，那“念”还是“旁白”；“唱”也属“帮唱”；舞蹈表演与说唱仍分为二事；“做”和“打”也还幼稚，组合还显生硬。特别是其中虽有化装“人物”出现，但“人物”还是舞蹈的附庸，还没有达到以“人物”来“演”故事的阶段。

大曲对戏曲形成的贡献，突出地表现在音乐上。宋代大曲有严格的宫调规定，长短句（词体式）的语言结构和曲体结构，都成为元杂剧剧曲的圭臬。

在音乐上同样给元杂剧以巨大影响的是诸宫调。诸宫调是说唱，原与歌舞表演属于两个系统。但除了舞蹈这一点之外，诸宫调在说、唱、音乐上，又与宋代大曲有着千丝万缕的联系，它们共同构筑了元代杂剧在音乐及表演方面的原则。

诸宫调起于北宋汴京，大约在熙宁、元丰、元祐年间，“泽州孔三传者，首创‘诸宫调古传’”（王灼《碧鸡漫志》），后来，流传开去。南宋时杭州有“女流熊保保及后辈女童”说唱诸宫调（见《梦粱录》），说明诸宫调已由北方流入南方。今存的《西厢记诸宫调》和残本《刘知远传》《天宝遗事》都用北曲，宋代南戏《张协状元》中介绍剧情的诸宫调是南曲，可见宋代诸宫调已有南北之分。诸宫调的表演方式是说唱相兼，其中代言为辅，叙事为主，与宋代大曲基本相同。

诸宫调是说唱的结合，大曲是叙事与歌舞的结合，它们都并未分角色表演，代言也未脱离说唱人和竹竿子的叙述。所以说它们还不是“戏曲”。但是，它们在故事情节上，都已表现出长于刻绘的特点，对人物的塑造，也有了相当的注意，表演上开启了代言的先声，音乐上奠定了北杂剧结构的原则，因此，可以说它们是元代戏曲的血亲。它们的儿子——北杂剧，要到元代才呱呱坠地。

宋杂剧和金院本

宋杂剧和金院本都没有剧本流传至今，对宋杂剧和金院本的考察，只能根据史料笔记，但一般都认为宋杂剧和金院本已是真正的“戏曲”。

宋杂剧的概念，前人用得颇混乱。有时用以统称宋代歌舞戏、参军戏以及宋代傀儡杂戏。有时又专指宋代以表演故事为主的杂戏。我们这里讲到宋杂剧时，取后者的概念。

一般认为，宋杂剧是从唐代参军戏发展而来的。这种说法多少有点简单和笼统。不应该把宋杂剧简单地理解为是由唐代参军戏演进而成，因为从各种史料笔记的分析来看，宋杂剧与歌舞表演、大曲、杂伎百戏都有着千丝万缕的联系，况且，它与唐代参军戏在内容和艺术形式上都有着非常大的区别。

宋杂剧的体制基本稳定，角色行当初步形成，虽然仍包含有百戏、杂艺、歌舞等内容，但已显示出与歌、舞脱离，以表演故事为主的特点。宋杂剧在南宋时期比较发达，此时，北方的杂剧被称为“金院本”。

宋杂剧在教坊十三部散乐中，取得了“正色”的地位，标志着宋杂剧在宫廷演出时地位的提高。《武林旧事》中录有“官本杂剧段数”名目共二百八十种，证明“杂剧”不再仅仅是百戏杂艺中的一个节目，已经有了自己的剧目系统。所谓“官本”，是指宫廷演出的本子，不包括民间俗本。分析一下这些名目，可以推测其近亲和血缘。

“莺莺六幺”“崔护六幺”当是用“六幺”曲歌唱表演莺莺、崔护的故事；“裴少俊伊州”“郑生遇龙女薄媚”是用“伊州”曲、“薄媚”曲歌唱表演“墙头马上”和“郑生龙女”的故事。“六幺”“伊州”“薄媚”都是唐、宋大曲名。由此可见这部分宋杂剧与大曲之间的承启关系。如果我们推测宋代大曲“道宫薄媚·西子词”是乐舞，那么，宋杂剧“郑生遇龙女薄媚”为乐舞剧，也许能够成立。但大曲的题目是曲名在前，杂剧题目曲名在后，这可能标志着从大曲到杂剧，发生了乐舞地位下降、故事表演地位上升的变化。另一部分宋杂剧如“三教闹著棋”“眼药酸”“风流药”“医马”则可能与参军戏关系更为密切。其他如民间的“目连救母”杂剧，则是以一个故事为主要线索串起来的百戏杂伎的大杂烩了。另外宋杂剧还可以“用傀儡”（《宋史·乐志》）扮演。那么，看起来，宋代杂剧应当是体式并不绝对划一的，“杂剧”一词也确实寓有多而且杂的意思了。它的形成也与大曲、参军戏、百戏杂伎有密切的关系。

宋杂剧的种类有“艳段”“正杂剧”“散段”“小杂剧”“哑杂剧”五种。“艳段”一般要与正杂剧相连属，而“正杂剧”“散段”“小杂剧”“哑杂剧”都可以独立搬演。

“艳段”居于“正杂剧”之前。“艳”字起于大曲，“大曲又有‘艳’，‘艳’在曲之前”（《乐府诗集·相和歌辞题解》），是“序”或“引”的意思。但与后世戏剧的“序幕”又不同。陶宗仪《南村辍耕录》说“又有焰段（即艳段），亦院本之意，但差简耳”，就是说，它也是一个独立小戏，只是规模小，内容比较简略而已，大概相当于以前京剧演出时，正戏之前的“帽儿戏”。

写于宋理宗端平二年的《都城纪胜·瓦舍众伎》介绍宋杂

剧演出程序为："先做寻常熟事一段，名曰艳段，次做正杂剧，通名为两段。"这是民间正式戏班子的正规演出规模。与《东京梦华录·驾登宝津楼诸军呈百戏》中记载的北宋时御前杂剧演出实况是一样的：

> 复有一装田舍儿者入场，念诵言语讫，有一装村妇者入场，与村夫相值，各持棒杖，互相击触，如相殴态。其村夫者以杖背村妇出场毕。后部乐作，诸军缴队杂剧一段，继而露台弟子杂剧一段。

其中村夫村妇相殴的片段，应当就是所谓以"寻常熟事"为内容的"艳段"，后面的两段杂剧，就应当是"正杂剧"了。

这种"艳段"加"正杂剧"两段的结构，在宫廷演出时，又常被拆散。在"赐宴""上寿""圣节"之类的大典上，杂剧与歌舞、大曲、百戏常常互相穿插，这样，杂剧一场演几段，就很不规则了。

例如，北宋时在"宰执亲王宗室百官入内上寿"的大典上，共进御酒九盏，第五盏时，主要是表演"小儿队舞"，之后才有"勾杂剧入场，一场两段"，看来并无"艳段"在前（见《东京梦华录》）。又如南宋“皇后归谒家庙”时有“初坐”“歇坐”“再坐”等礼节仪式，之间配合进酒，有各种演出：“初坐”“歇坐”后进酒五盏，第四盏时“勾杂剧色，时和等做‘尧舜禹汤’，断送‘万岁声’”；“歇坐”“再坐”后有进酒九盏，第七盏时有“勾杂剧，吴国宝等做‘年年好’，断送‘四时欢’”，算是“一场一段”。“圣节”时“初坐”第四盏有“杂剧，吴师贤已下，做‘君圣臣贤爨’，断送‘万岁声’”；第五盏有“杂剧，周朝清已下，做‘三京下书’，断送‘绕池游’”；“再坐”第四盏有“杂剧，何晏喜已下，做‘杨饭’，断送‘四时欢’”；第六盏有“杂剧，时和已下，做‘四偌少年游’，断送‘贺时丰’”。也都是“一场一段”。可见这一“段”，就是一个完整的杂剧故事，段与段之间并无情节上的联系，可以随意拆卸组合（见《武林旧事》）。

这里讲到的“断送”（具体名目有“万岁声”“四时欢”“贺时丰”等）是杂剧表演之后演奏的曲子，“断送”意为附送、白饶，当是起于民间勾栏演出术语，意为杂剧之外加演的曲子。御前演出不是做买卖，当然谈不上什么白饶、奉送，它实际上已经变为演出时的一种体式了。

至于“正杂剧”的具体内容，主要包括以“故事世务为滑稽”（《都城纪胜》）的滑稽戏和表演莺莺故事、王子高故事、郑生龙女故事一类的故事剧两种。

“散段”是“似杂剧而简略”者（宋·赵彦卫《云麓漫钞》），又名“杂扮”“杂班”“纽元子”“拔和”。“散段”除了比“正杂剧”简略之外，也许还有别的特点，它常单独搬演，而且据《武林旧事》记载，杭州民间伎艺人中，“杂剧”演员和“杂扮”演员是两套人马。

一些研究者认为宋杂剧的结构是“艳段一段，正杂剧二段，散段一段，一共恰巧是四段”，而“散段”是正杂剧之后的“送客戏”（赵景深《读曲小记·元剧结构的原因》）。这种说法根据不足，宋代史料、笔记中没有出现“一场四段”的记载，唯“艳段”与“正杂剧”有时接连演出，后面未见“散段”相续。

有关“哑杂剧”的记载甚少。《东京梦华录》云：“有二三瘦瘠，以粉涂身，金睛白面如髑髅状，系锦绣围肚看带，手执软杖，各作魁谐，趋跄举止若排戏，谓之哑杂剧。”这“哑杂剧”当然是没有说白和歌唱，只以化装和形体动作来表演故事。

“小杂剧”不知是指规模，还是专指以傀儡做的杂剧。《东京梦华录》中有“般杂剧，杖头傀儡任小三，每日五更头回小杂剧，差晚看不及矣”的记载，那么是以傀儡做“小杂剧”。《武林旧事》中“圣节”“初坐”第四盏有“吴师贤已下，上进小杂剧”，可见“小杂剧”于北宋和南宋的民间和宫廷都有搬演。至于“小杂剧”是否全用傀儡，是否吴师贤等人做的“君圣臣贤爨”也是小杂剧，是否所有的“爨”全是小杂剧（见李啸仓《宋元伎艺杂考》）就不宜做无根据的推断了。

辽、金与两宋是同时并峙的朝代，辽金杂剧与宋杂剧属同一体系。辽朝和金朝款待宋朝使臣，都有“杂剧”与百戏交替演出（见《渌水亭杂识》《三朝北盟会编》），这当然是因为辽、金伎艺人多半是索贡或掠掳于两宋的缘故。

金的杂剧，又叫作“院本”。《南村辍耕录》为我们保留下来的金院本名目，大约有七百种。

如果我们也像对宋杂剧那样，从题目上进行一些分析，可以大致看出金院本在内容和艺术形式上与宋杂剧的联系与区别。

金院本《酒楼伊州》《闹夹棒六么》《月明法曲》应当是与宋杂剧《莺莺六么》《裴少俊伊州》《剑器舞》同属以有故事情节的歌舞表演为主，兼有说白的一类；而金院本《风流药院》《眼药孤》《双斗医》《集贤宾打三教》《胡说话》等，应当是与宋杂剧《风流药》《眼药酸》《医马》《三教闹著棋》等一样，是以科诨为主的滑稽戏；金院本中最大量的剧目如《庄周梦》《红娘子》《衣锦还乡》《赤壁鏖兵》《酒色财气》《杜甫游春》《鸳鸯简》《张生煮海》则应当是具有比较复杂、完整的情节的，类似宋杂剧《目连救母》这样的故事戏了。由此可见金院本与宋杂剧之间的关联。

宋杂剧采用古乐的剧目极多，《武林旧事》中官本杂剧二百八十种中，就有一百四十七种采用了大曲、法曲、词曲调。而金院本只有六十种采取古乐，只占留存名目总数七百种的九分之一弱。这个情况说明宋官本杂剧与唐宋大曲乐舞的关系更密切些。但从另一角度看，则金院本名目中有相当数量的一批作品非常富于故事性。《王子端卷帘记》《女状元春桃记》《风流婿》《蔡伯喈》《苏武和番》《陈桥兵变》《佛印烧猪》《刺董卓》《晋宣成道记》等，仅从题目上就可看出，金院本更明显地向着表演故事的方向拓展。

有宋、元笔记史料证明，宋杂剧和金院本的演出者，都已有了比较固定的角色分工。这在后世叫作“行当”，为我国戏曲所特有。事实上，行当的出现，是我国戏曲成熟的一个很重要的标志。

角色的出现，是在唐代。唐代参军戏由“参军”和“苍鹘”两个演员搬演，其中的“参军”原是官职名称，开始是因为滑稽戏中有一个任“参军”的官员，因贪污而被调笑讽刺，后来就把滑稽表演中受到调笑讽刺的对象叫“参军”，成为一类角色的代称，滑稽戏也因此就叫“参军戏”了。参军戏中的另一角色“苍鹘”，也以可以击打参军而形成了自己的表演特点。

宋、金杂剧和院本，在角色分工上比参军戏已有很大进展，据有关记载，可以列表如下：

唐代参军戏搭档			参军	苍鹘	
宋代宫廷杂剧班子组成（据《武林旧事》）	戏头	引戏	次净	副末	装旦
宋代民间戏班子组成（据《都城纪胜》）	末泥	引戏	副净	副末	装孤
金代院本戏班子组成（据《南村辍耕录》）	末泥	引戏	副净	副末	装孤
职司和表演特征（据《都城纪胜》）	色主张	色分付	色发乔	色打诨	

“戏头”即是“末泥”，“次净”即是“副净”。副净和副末负责打诨，“装旦”为女角，“装孤”为官员。演员们于“念诵”“筋斗”“科泛”上各有所长，加上庞大的乐队，即使“末泥”“引戏”所司不明，这戏班子也可以算是相当可观了。

根据上述种种史料记载和分析，我们可以将宋杂剧与金院本的特点归纳如下：

一、宋杂剧、金院本的内容主要是演述故事，而不再是有故事情节的歌舞表演。

二、宋杂剧、金院本的演出团体，已有比较稳定的角色分工。演出时不同角色由相应的演员来扮演。“装孤”扮演官员，“装旦”扮演女子，“副净”“副末”扮演剧中的滑稽人物，每段杂剧都有几个演员同台演出。

三、宋杂剧、金院本中的“副净有散说、有道念、有筋斗、有科泛”（《南村辍耕录》），其他角色有“打和”（众人合唱）、舞蹈，可知宋杂剧和金院本为“唱、念、做、打”兼具的综合表演。

据此，也许能够得出这样的结论：宋杂剧、金院本已是真正的戏曲了。

特别值得注意的是：宋代已有民间戏班子以戏曲为业，搭棚演出叫“勾栏”，流动作场叫“路歧”。宫廷节日演出时，还会“和顾”（指雇用）这些民间戏曲团体参加演出，以壮场面。勾栏、路歧的出现，说明戏曲已经更深地植根于民间，获得了发展的广阔天地。

南戏

王国维在《宋元戏曲考》中曾不无遗憾地说：由于宋、金演剧无一留存至今，所以论述真正的戏曲，不能不始自元杂剧。就在王国维去世后四年（1931），古今小品书籍印行会刊印了由叶恭绰从伦敦购回的流失海外的《永乐大典》卷13991所载的南戏作品《张协状元》《宦门子弟错立身》和《小孙屠》，题名《永乐大典戏文三种》。

《永乐大典戏文三种》是现存最早的戏曲文学剧本。虽然它们既不是宋杂剧，也不是金院本，而是产生于北宋末期和元代的南曲戏文，但是，作为与宋杂剧有承袭关系并同步发展的同一文学艺术体式，它代表了宋代戏曲的最高成就。钱南扬说南戏“熔合歌唱、舞蹈、说白、科泛、音乐于一炉，以表演一个完整的长篇故事，使中国戏剧真正成为一种综合性的艺术，在戏剧史上开辟了一个新的纪元”（《戏文概论》），是有道理的。

南戏，又称南戏文、戏文或南曲戏文。因为南戏起于温州，温州即永嘉，南戏又称温州杂剧或永嘉杂剧。

南戏产生于北宋末期的温州，其时北宋的统治虽已风雨飘摇，内外交困，但温州偏处东南一隅，尚有得天独厚的宁静环境。温州自六朝以来，文化一直比较发达，加之地处海隅，商业经济繁荣，也刺激着文化娱乐事业的发展。虽然经济发展与文化发达并非简单的因果关系，但饱暖之后便思逸乐，却是常识。

一般认为始于北宋宣和年间（或南渡之际）的南戏，到了南宋颇为兴盛。它开始是由民间的村坊小戏演变而来。现在所知最早的作品是“永嘉人所作《赵贞女》《王魁》”（徐渭《南词叙录》），惜已不传。南宋度宗时“戊辰己巳间王焕戏文盛行于都下，始自太学有黄可道者为之”（刘一清《钱塘遗事·戏文诲淫》），《王焕》戏文今也不传。且今存《错立身》署“古杭才人新编”，《小孙屠》署“古杭书会编撰”，都可证明宋元时戏文盛于杭州。在元朝，南戏与北杂剧已有互相渗透，南戏《错立身》中已有北曲，大都也有戏文剧本印刻刊行，说明南戏北上和北杂剧南下都是事实。

据统计，见于《永乐大典目录》《南词叙录》以及各曲目、曲谱的宋元南戏共二百三十八本，然今存不及十分之一。

在今存的作品中，《张协状元》为戏文初期作品，产生于南宋北宋之交。为宋、元人所作，并保存了戏文的本来面目的，还有《错立身》、明成化本《白兔记》《小孙屠》和清陆贻典抄本《琵琶记》（以下简称《元本琵琶记》）。因此，我们在考察宋代戏文文学的最初面貌时，主要根据这五个作品来归纳南戏在结构、格律和唱念表演三方面的特征。

（一）结构

南戏由题目和正文两部分组成。正文又包括开场和正戏。

戏文最前面有韵语四句，用以介绍剧情，这就是我们所说的题目。例如《张协状元》题目：

张秀才应举往长安，王贫女古庙受饥寒，呆小二村□调风月，莽强人大闹五鸡山。

《错立身》题目：

冲州撞府妆旦色，走南投北俏郎君，戾家行院学踏爨，宦门子弟错立身。

《琵琶记》题目：

极富极贵牛丞相，施仁施义张广才，有贞有烈赵真女，全忠全孝蔡伯喈。

这三个戏的题目是有区别的。《张协状元》的题目内容，只讲到五鸡山张协遇强人为止，并不涉及整个剧情。《错立身》的题目则几乎囊括了整个戏的主要剧情，并介绍了全部主要人物，且戏名取自最后一句。《琵琶记》的题目主要也是介绍剧中主要人物，主要特征是文辞尚雅，讲究对仗和工整。由于今存作品不多，我们还很难判断宋元南戏题目的变化是有规律可循，抑或并无定式。

南戏题目的作用，与后世戏曲中角色上场时的“上场诗”不同，它不是由任何角色念诵而是“广告”措辞。这“广告”，在元代叫“招子”，用来向观众介绍剧情招揽看客。到明代时，这题目遂变化成为第一出副末的下场诗，由副末念诵。例如《元本琵琶记》的题目，在明改本《琵琶记》中，就成了副末开场结束时的下场诗。

戏文的开场是很有意思的。正戏之前，先由一个叫“末”（亦即副末）的角色上场，以剧外人口吻叙述介绍剧情，并说些静场的话，然后引出正戏。早期戏文《张协状元》的开场比较复杂而热闹，元代的《琵琶记》就简单而紧凑得多了。

《张协状元》先由末以说白念〔水调歌头〕〔满庭芳〕来浑说大意和静场：

（末上白）〔水调歌头〕韶华催白发，光景改朱容。人生浮世，浑如萍梗逐西东。陌上争红斗紫，窗外莺啼燕语，花落满庭空。世态只如此，何用苦匆匆。但咱们，虽宦裔，总皆通。弹丝品竹，那堪咏月与嘲风。苦会插科使砌，何吝搽灰抹土，歌笑满堂中。一似长江千尺浪，别是一家风。

（再白）〔满庭芳〕暂息喧哗，略停笑语，试看别样门庭。教坊格范，绯绿可全声。酬酢词源诨砌，听谈论四座皆惊。浑不比，乍生后学，谩自逞虚名。《状元张叶传》，前回曾演，汝辈搬成。这番书会，要夺魁名。占断东瓯盛事，诸宫调唱出来因。厮罗响，贤门雅静，仔细说教听。

这两首词主要讲人生浮世、世事维艰的意思，并对编剧书会和演戏团体进行褒扬。之后，用诸宫调说唱介绍戏情。诸宫调说唱共用了〔凤时春〕〔小重山〕〔浪淘沙〕〔犯思园〕〔绕池游〕五支曲。五支曲过后的说白交代张协遭打之后说：“似恁唱说诸宫调，何如把此话文敷演，后行脚色，力齐鼓儿，饶个撺掇，末泥色饶个踏场。”到此处，副末虽然下场了，并引出“末泥色”（生）来，但开场却还没有完。那“末泥色”，也就是“生”在上场之后，并不是马上进入角色，而是还有许多角色之外的话语和动作：

（生上白）讹未（众喏）（生）劳得谢送道呵！（众）相烦那子弟！（生）后行子弟，饶个〔烛影摇红〕断送。（众动乐器）（生踏场数调）（生白）〔望江南〕多忔戏，本事实风骚。使拍超烘非乐事，筑毬打弹谩徒劳，设意品笙箫。谙诨砌，酬酢仗歌谣。出入须还诗断送，中间惟有笑偏饶，教看众乐醄醄。适来听得一派乐声，不知谁家调弄？（众）〔烛影摇红〕。（生）暂藉轧色。（众）有。（生）罢，学个张状元似像。（众）谢了！（生）画堂悄最堪宴乐，绣帘垂隔断春风。波艳艳杯行泛绿，夜深深烛影摇红。（众应）（生唱）〔烛影摇红〕烛影摇红，最宜浮浪多忔戏。精奇古怪事堪观，编撰于中美。真个梨园院体，论诙谐除师怎比？九山书会，近目翻腾，别是风味。一个若抹土搽灰，趋枪出没人皆喜。况兼满坐尽明公，曾见从来底。此段新奇差异，更词源移宫换羽。大家雅静，人眼难瞒，与我分个令利。

这里有“生”与包括乐队的后行子弟的对话，有“断送”的〔烛影摇红〕乐曲，有生的“踏场数调”表演，有生用念〔望江南〕对于戏文本事、演出内容的介绍，还有用唱〔烛影摇红〕词对演出的宣传。直到“大家雅静，人眼难瞒，与我分个令利”，静场语一完，开场才算结束。这演员才进入张协这一角色，念定场诗，然后“末净”上场，正戏开始。

明成化本《白兔记》与《张协状元》颇类似：先由末上场念诗四句、词一首，此词似为少几句的〔满江红〕；有奉送乐曲，踏场〔红芍药〕一首；又念秦观〔满庭芳〕一首；与后行问答白语一段；再念〔满庭芳〕报告戏情；最后还有下场诗一首，之后，副末就下场了。

这大概是戏文早期的开场方式，是大曲、歌舞杂戏的“致语”的变相：开场除了负有一直延续到后世仍保留下来的向观众介绍剧情的职责之外，还有“断送”乐曲和舞蹈动作，前场与后场对话呼应。念诵部分有韵文、诗词，还有散白，散白包括独白、对话。特别是《张协状元》径用诸宫调唱说剧情，张协既为剧中角色，又帮衬做副末开场，明白地显示了叙事向代言过渡的痕迹。看来，早期南戏的开场并无较严格的模式。直到元末的《琵琶记》，这种开场的形式才趋向规范化。《琵琶记》开场，由末上念〔水调歌头〕和〔沁园春〕词两首，内容是浑说戏文大意、介绍剧情两个部分。奉送，踏场，前后场问答之类一概全免，干净利索。这种开场格式延续到明清，一直为传奇作家所采用。

从扮演者正式进入角色，就算是正戏开始了。宋杂剧分“段”，表演一个短剧为“一段”，有“一场两段”“一场三段”之说。宋代“大曲”分“遍”，以一曲终了为“一遍”，十几遍、几十遍为一套。戏文称“种”，一“种”之中有十几出或几十出。不过，正式分“出”，是明代以后的事情。宋、元时代的戏文《永乐大典戏文三种》并无明文标示分“出”，犹如《元刊杂剧三十种》也并未标示分“折”一样。虽然如此，在宋元戏文中仍可看到分段的标志，它是由演员的上下场自然构成的。

把具有相当长度的剧情，按照对情节的表现进行段落划分，并用“折”或“出”的名目标出，是文学剧本上的一种完善，这是明朝中叶才建立起来的习惯。今人为研读方便，在整理宋元古本时，也分别标出“折”“出”。

在宋代，戏曲往往在城市勾栏和草台庙台上演，舞台是方形的，三面对着观众，没有大幕，也没有复杂的布景，演出时，主要演员上下场一次构成一个自然段落。南戏长短自由，如《张协状元》可以长至五十三出，而《小孙屠》仅二十一出，完全根据剧情而定。而从南戏开始，剧情便采用原原本本地交代故事的方式展开。有头有尾，中间曲折多变，完成矛盾的发生、发展、高潮、收束的起承转合的过程。这种结构方式是与中国传统的审美观相适应的。

南戏以角色扮演故事，以曲文、念白和表演动作来抒情和叙事，通过各种人物之间关系的发展变化展示剧情。从今存宋元旧篇来看，作者在结构剧情和安排人物时，是颇具匠心的。一般说来，南戏的主要角色在表演上劳逸比较均衡，主角与配角或主角之间的戏交替穿插，场面的安排注意到气氛的变化。各种角色都在前几场出台亮相。例如《张协状元》，到第五出时，主要角色已基本出场了，包括张协、协友、协父、王贫女、院子、圆梦者、协母、协妹等，所差仅李大公、王婆而已。三出、六出为旦戏，中间隔以生、末戏；二出、五出出场的人多，有热闹的科诨，相对而言，三出、六出出场的人较少，也比较清淡。各个角色都可有唱，独唱、接唱，形式多样，分配得也比较平均。整个剧情的张弛、气氛的冷热、角色的劳逸、唱白的穿插都有变化。直到元末《琵琶记》，基本上都遵循了这样的原则。

（二）格律规则

南戏表演的一个重要部分是歌唱，在文学剧本中，就表现为“曲词”了。

南戏的曲词，直接脱胎于词和村坊曲调，并旁征博采，来源很复杂。南戏所用的曲子叫“南曲”，其中许多曲子，如〔烛影摇红〕〔武陵春〕等都是从词衍变而来；〔林里鸡〕〔山坡羊〕〔倒上轿〕〔赵皮鞋〕则是民间小曲；〔上堂水陆〕〔大和佛〕当出于佛曲；〔长生道引〕〔蓬莱仙〕则可能出于道曲；〔川鲍老〕〔大影戏〕〔三棒鼓〕〔货郎儿〕应是歌舞杂戏乐曲之变；〔台州歌〕〔福州歌〕是地方民歌；〔四国朝〕〔蛮牌令〕显然是番曲；〔剑器令〕〔梁州令〕可能出于大曲；〔胜葫芦〕〔美中美〕盖出于金诸宫调……南曲应当是以宋词和民歌为主，兼容并蓄无所不包的大杂烩。

宫调是曲文互相连接时的音乐规则。现存宋元南戏剧本中，都没有明标宫调。关于早期南戏是否有宫调的问题，似乎已有成说。论者都举元末《琵琶记》的作者高明在副末开场中所言“休论插科打诨，也不寻宫数调”和明人徐渭《南词叙录》所说的“永嘉杂剧兴，则又即村坊小曲而为之，本无宫调，亦罕节奏，徒取其畸农、市女顺口可歌而已”为据，认为南戏不存在宫调的问题。

从南曲的渊源上分析，词原是单首演唱，并无联唱问题。宋代大曲为一个曲调的变奏，也不发生联套问题。村坊小调是顺口而歌，诸宫调对南戏的影响尚未及于音律领域，所以，从南曲的渊源上看，也确无讲究音律的依据。不过，南戏到底比词、大曲、民歌要丰富得多，而且，不能避开许多歌曲的联唱问题。实际上南戏的曲与曲的连接上，也确有所讲究。高明虽言“休论”插科打诨，但戏中确有科诨存在，又说不要“寻宫数调”，也并非《琵琶记》中真的无宫可“寻”，无调可“数”。不过，我们在寻找南戏宫调的规律时，不应用严谨的宫调概念去衡量它，就像徐渭用明代传奇严格的格律观念去衡量南戏一样，结果就会觉得南戏处处不合律。

今传各南曲宫谱，以明人蒋孝旧编《九宫十三调谱》（今藏于国家图书馆）为最早。蒋氏于序中自言“九宫十三调二谱，得之陈氏、白氏”，并“辑南人所度曲数十家，其调与谱合，及乐府所载南小令者汇成一书，以备词林之阙”（见王骥德《曲律》；叶长海《中国戏剧学史稿》）。《九宫谱》和《十三调谱》虽然同刊刻于天历年间，但《十三调谱》还远在《九宫谱》之前。可见南曲已有宫调是确定无疑的，不然，何以会有元人刊刻的南曲谱呢？可是，又因《十三调谱》

有目无词，南戏讲究宫调一事究竟不能落在实处，我们只能据《十三调谱》做些分析和推断了。

叶长海《中国戏剧学史稿》（页309）中说：

> 《十三调谱》所收宫调凡十五：黄钟、正宫、大石、仙吕、中吕、南吕、商调、越调、双调、羽调、道宫、般涉、小石、商黄、高平。由于商黄调的曲子系取商调和黄钟两宫调之曲联系而成，而高平调在《十三调谱》中又与各宫调皆可出入，本调下无独具之曲，除去此二调，故称“十三调”。

考之王骥德《曲律》中保存的《十三调南曲音节谱》，有两点值得注意：一是宫调之间互相通用的范围非常宽泛，各种宫调之间的界限因而变得很模糊。如：

> 仙吕：与羽调互用。出入道宫、高平、南吕。
>
> 黄钟：与商调、羽调出入。
>
> 商调：与仙吕、羽调、黄钟皆出入。
>
> 正宫：与大石、中吕出入。
>
> 大石：与正宫出入。
>
> 中吕：与正宫、道宫出入。

般涉：与中吕出入。

道宫：与南吕、仙吕、高平出入。

南吕：与道宫、仙吕出入。

越调：与小石、高平出入。

小石：与越调、双调出入。

双调：与小石出入。

见王骥德《曲律》

所谓“出入”，即可以通借之意。二是不少曲子同时属于两个或两个以上的宫调。如属于道宫的〔梁州第七〕，又在正宫、南吕和中吕中出现。〔大胜乐慢〕同时在仙吕、南吕和道宫中出现。一曲跨两个宫调的情况就更多了。

这种互用、通借和一曲属于诸多宫调的情况，使宫调之间的界限模糊起来，模糊到几乎使十三宫调全可以打通，因此，在早期南戏中常常出现判断一支曲子归属于哪个宫调十分困难和各种宫调的曲子混用的情况。

宋元南戏虽然使用宫调比较宽泛，但也并非全无条理和秩序。比如《张协状元》第十四出出现〔薄媚令〕〔红衫儿〕〔金莲子〕〔醉太平〕等曲。〔薄媚令〕和〔醉太平〕属南吕，〔红衫儿〕既属南吕又属中吕，唯〔金莲子〕属羽调，与上面三曲不属同一宫调。但据上面所述的通用原则，羽调可以与仙吕“互用”，而仙吕又与南吕“出入”，那么羽调也就可以与南吕通用了。所以这四支曲子的连接，应当说还是有宫调上的联系的。《南词叙录》云：“南曲固无宫调，然曲之次第，须用声相邻以为一套。其间亦自有类辈，不可乱也。如〔黄莺儿〕则继之以〔簇御林〕；〔画眉序〕则继之以〔滴溜子〕之类，自有一定之序。”如果这里所谓“声相邻”者即是《十三调谱》中所谓可以通借“出入”者，那么，这说法是有道理的。不过，因为宋元南戏作品今传不多，这种规律很不易捕捉和归纳。

另外，《十三调谱》中的曲牌分“慢词”“近词”两类，实际上也就是后来词谱中所谓“引子”和“过曲”，不过称呼一仍宋词旧制而已。

宋元南戏中的曲词，由引子、过曲和尾声三部分组成，但这种格式并不十分严格，引子或尾声付之阙如的情况不少，各种变例也很多。

一般的情况，角色出场，先唱引子，如《张协状元》第三出，王贫女上场，先唱〔大圣乐〕，《错立身》第二出，完颜寿马上场，先唱〔粉蝶儿〕，一人只唱一支引子。有时，角色上场，也可以不用引子，也有唱过曲，或念上场诗的情况。引子若不用在角色出场，在剧中，有时还会出现二人、三人或四人合唱一支引子的情况。

过曲是唱词中的主要部分，过曲的应用有联套、专用和兼用三种。

联套曲指那些必须与其他曲牌相联成套的曲牌。例如〔红衫儿〕一调，在《张协状元》第十四出，与〔金莲子〕〔醉太平〕联成一套，在《琵琶记》第三十出，与〔醉太平〕相联成套。这〔红衫儿〕曲一般不单独存在，必与〔醉太平〕之类相联使用，这就是所谓联套曲。

专用曲指某一曲牌单独使用或只自身叠用者。如〔和佛儿〕在《张协状元》第五十二出和《琵琶记》第九出，都只单曲使用。而〔祝英台近〕在《张协状元》第十七出叠用四次，并与引子联用，这就是所谓专用曲。

另有一类既可联套，又可专用的曲子，叫兼用曲。比如〔锁南枝〕在《张协状元》第十出叠用六次，与引子联用，而在《小孙屠》第十九出中，却与〔北新水令〕〔北甜水令〕〔南香柳娘〕联为南北合套曲。

宋元早期南戏中，用尾声的地方并不多。凡过场戏不用尾声，即使联套曲牌之后，也有些地方约定俗成可以不用尾声。例如《张协状元》五十三出戏中，正式以尾声作结的仅有二出。《错立身》十四出中，有三出用尾声。《琵琶记》四十二出中，有七出用尾声。但有时可以用引子作尾声，如《琵琶记》第五出，以〔鹧鸪天〕作尾声。而《张协状元》第三十七出以〔满江红〕作尾声。值得注意的是，用作尾声的〔满江红〕省减了词句，只用最末两句，这种情况不是特例，也算是一种大幅度的变通吧。

习惯上把戏曲中多种曲牌连贯使用，称为联套。南戏的曲词联套，从宋到元，显示了一种由短而长、由简而繁的发展趋势。

在宋代南戏《张协状元》中，由一支引子或一支过曲作为一套的情况很常见。如二十二出中，生只唱过曲〔女冠子〕，三十一出中，生只唱引子〔似娘儿〕。当然，一支曲子并不成其为套，这种格式，或许可以看作是一种早期的、比较简单的联套方式。剧中的短套占了绝大多数，这短套常由一支引子和一、二支过曲组成，如第二出由引子〔粉蝶儿〕和二支过曲〔千秋岁〕组成。到了元末的《小孙屠》和《琵琶记》就不同了，《小孙屠》二十一出中，有五出的曲子超过十支，长套占了四分之一。《琵琶记》四十二出之中，十支曲以上的长套有十八出，几乎占一半，三四支曲子以下的短套已属寥寥。这种现象，表现了南戏中歌唱的地位逐渐提高，并逐渐走向规范化的趋势。

元代南戏中出现了北曲，并在使用北曲时对北曲联套的章法有所变通。如《错立身》第十二出有北曲套数〔北越调·斗鹌鹑〕一套，中有〔紫花儿序〕〔金蕉叶〕〔鬼三台〕〔调笑令〕〔圣药王〕〔麻郎儿〕〔天净沙〕等北曲，但中间又插入〔四国朝〕〔驻云飞〕五支南曲，由旦、净、生轮唱，不合北曲制度。第五出有〔北仙吕·赏花时〕南北合套一套，中有〔南排歌〕〔北哪吒令〕〔南排歌〕〔北鹊踏枝〕〔南安乐神〕〔北六么令〕〔尾声〕，组织搭配，尚合北曲法度，但却由旦、生分唱，就不是北曲一人唱到底的唱法了。《小孙屠》第十九出的南北合套，缺少尾声，按北曲制度，也欠完整。第十一出外唱〔仙吕〕引子〔梅子黄时雨〕、生唱〔南正宫〕过曲〔锦天乐〕〔北中吕·上小楼〕二支，〔红绣鞋〕一支，外、生、净唱〔南正宫·四边静〕三支，最后由生唱〔一撮棹〕。这种违反了南北合套在曲子组织上一南一北的基本规律，曲子所属宫调不一致，又有各种角色混唱的套曲，就只能算是南北曲混用，而不能视为“南北合套”了。这种“混用”，对格律严整的北杂剧来说，是一种混乱，而对南戏说来，仍符合“宽泛”的大原则。

南曲的联套，与曲子的声情很有关系。对于“声情”，我们可做广义的理解。平稳和激烈、细腻和粗犷，也可视为属于声情特质。那么，按照曲子的节奏缓急、性质粗细不同，各种曲子就有了适合于表现喜、怒、哀、乐的不同声情了。魏良辅《南词引正》中言：“唱曲俱要唱出各样曲名理趣，宋元人自有体式，如〔玉芙蓉〕〔玉交枝〕〔玉山颓〕〔不是路〕俱要驰骋；如〔针线箱〕〔黄莺儿〕〔江头金桂〕要规矩；如〔二郎神〕〔集贤宾〕〔月云高〕〔本序〕〔刷子序〕〔狮子序〕要悠扬；如〔扑灯蛾〕〔红绣鞋〕〔麻婆子〕，虽疾而无腔有板，板要下得匀净方好。”这里讲的虽是唱法，但由此也可看出不同曲子具有的不同声情。选择曲子时，视剧情不同，先舒缓后匆遽者，先用缓曲后用急曲，反之则急曲在前，缓曲在后。细曲一般用以表现生、旦的情感，粗曲为净、丑所用。粗曲一般不与细曲联套，但若生、旦戏中有净、丑介入，当然也得于细曲中插入粗曲。一套曲的声情基调，由主曲决定，如〔山花子〕〔锦堂月〕〔念奴娇序〕等都是声情欢乐的主曲，因此，常用在团圆、庆贺的场合，而〔山坡羊〕〔三仙桥〕〔山桃红〕是声情悲哀的主曲，常用于冤愤、苦悲、争吵的情境中。当然，变例也仍然存在。

总的来说，宋元南戏的联套，在规模上有由短而长的变化，在规则上，有由宽而严的发展。宋代南戏中变例很多，到元末的《琵琶记》就相当严整了，因此受到明代讲究音律的传奇家的推重。

（三）唱念和表演

南戏以“代言”为其最重要的特征，与宋代大曲、滑稽戏等划开了一条界线，只在开场中还保存着一点叙事体文学的痕迹。这个后世所谓的“副末开场”，其实是由宋大曲中的“竹竿子”衍化而来，和宋杂剧中的“末泥色”为同一职司。南戏开场时的“断送”，以及副末与“后行子弟”的问答，也是来自乐舞的旧制，当然，到元末时，这类附加物就逐渐消失了。

南戏由演员扮演，根据剧中人物类型的不同，出现了七类角色。

“生”和“旦”是南戏中的男主角和女主角。“生”“旦”所扮，一般都是青年男女，如《琵琶记》中的蔡伯喈和赵五娘。南戏中的“旦”，有时由男演员扮演，沿袭了宋杂剧“装旦”的传统，但已有女演员为“装旦色”（见《错立身》）。

“外”为南戏中的配角，“外生”扮老年男子，“外旦”扮老年女子。如《错立身》中完颜寿马之父、《张协状元》中的王胜花之母分别为“外生”和“外旦”。

“贴”是“贴旦”的简称，扮演作为配角的年轻女子。如《琵琶记》中的牛小姐。

“丑”也扮演戏中的男配角。由宋杂剧的净分化而来，与“末”一同专司科诨。可以扮演男、女、老、小。《张协状元》中的算命先生和小鬼都由“丑”扮演。

“净”同宋杂剧中的副净，男女都可扮演。类似参军戏中的“参军”，与“末”一同插科打诨。如《张协状元》中的山神。

“末”即“副末”，由参军戏的苍鹘演化而来，扮演戏文中次要的男角色。负责开场介绍剧情，并与“净”“丑”一同插科打诨。

剧中的角色采用曲、科、白相间的各种艺术手段来推动剧情的发展，展开矛盾。南戏在温州杂剧阶段用温州方言演唱，走出温州后，用吴浙之音。

南戏中的“白”，包括“散白”和“韵白”两种。“散白”指对话或独白，“韵白”包括上、下场诗和副末开场中的诗、词等。说白除了插科打诨之外，还是交代情节、叙述事件、议论是非、过渡唱段的重要手段，起到推动剧情发展和塑造人物的作用。

唱词多为抒情和揭示人物情感而设，是抒情歌舞传统的继续。如《张协状元》第三出旦唱：

〔大圣乐〕村落无人要厮笑，这愁闷有谁知道。闲来徐步，桑麻径里，独自烦恼。

〔叨叨令〕贫则虽贫，每恁地娇，这两眉儿扫。有时暗忆妾爹娘，珠泪堕润湿芳容，甚人知道？妾又无人要。兼自执卓做人，除非是苦怀抱……

〔同前〕几番焦燥，命直不好，埋冤知是几宵。受千般愁闷，万种寂寥，虚度奴年少……

曲文表现了王贫女自叹身世零落，自怜苦无归处。配以富于“惆怅”情调的正宫曲子“叨叨令”，应当是富于抒情的。南戏中各种角色都有机会歌唱，生、旦、净、末、丑，都可穿插演唱。短的、长的独唱，二人对唱，三人轮唱等，形式多样。还有一种帮合唱，在剧本上标“合”字，有时为同场人物合唱，有时还有后行的帮唱。如《张协状元》最末一出：

〔红绣鞋〕状元与婆婆施礼。（合）不易！（生）婆婆忘了你容仪。（合）谁氏？

这里的“不易”和“谁氏”都是后行的帮合唱。南戏演出时，曲白相间，抒情与叙事交织，歌唱与诙谐互相调剂，从表现上说，是综合了歌舞表演和滑稽表演的优长。

南戏的表演动作叫作“介”，虚拟式表演从南戏开始成为被中国戏曲普遍采用的艺术表现方式。虚拟表演主要指剧中人物用一些舞蹈动作表现人物行动、处理剧情中的时空变化，如上山、涉水、骑马、乘船、上楼、下楼以及时间的流逝等。例如，《张协状元》第七出是一个过场，张协挑着包裹在场上唱〔望远行〕曲：

> 乡关渐远，剑阁峥嵘巅险。不惯行程，愁闷怎消遣。时听峭壁猿啼，何日得临帝辇。步云衢称人心愿。

之后又念一首诗，表示离开成都府，走过剑阁，涉嘉陵江，到了五鸡山。这段表演，除了唱、念之外，还应当有各种动作和舞蹈相配合，表现时间和空间的转换。这里虽然没有明标表示动作的“介”，但动作是显然存在的。

《琵琶记》第二十出“五娘吃糠”一场：

> 〔外净上探白〕媳妇，你在这里说甚么？〔旦遮糠介〕

〔净搜出打旦介〕〔白〕公公，你看么？真个背后自逼逻东西吃，这贱人好打！〔外白〕你把它吃了，看是什么物事？〔净荒介吃介〕〔吐介〕〔外白〕媳妇，你逼逻的是甚么东西？〔旦介〕〔唱〕……

外扮蔡公，净扮蔡婆，旦扮五娘。这里的动作有蔡公、蔡婆窥探，五娘遮掩糠饭，蔡婆搜出后责打五娘，尝糠、吐糠等虚拟表演。

表演动作在戏曲文学剧本中以舞台指示的形式加以标示。具体说就是各种“介”或“科泛”。舞台指示对于演员来说，是对表演所做的提示，而在文学剧本中，就成为联系上下剧情不可缺少的说明。例如《张协状元》第十出，净扮庙神，知道张协在五鸡山下遭劫，要夜宿古庙，因此要小鬼判官（一丑一末）作门，还嘱咐他们：“开时要响，闭时要迷，稍稍有违，各人十下铁槌。”“门”被张协关上以后，贫女归来有一段表演：

（叫）开门。（打丑背）（丑）蓬，蓬，蓬！（末）恰好打着二更。（旦叫）开门（重打丑背）（丑叫）换手打那一边也得（末）合口……

这里“（打丑背）”是旦的动作，表示敲门，虽然没有标明“介”字，但它实际上是“介”。“蓬，蓬，蓬！”是丑作门响的声音效果。“恰好打着二更。”是“末”的调侃语，背躬。“（重打丑背）”又是旦的动作，“换手打那一边也得”又是丑的背躬，假作旦听不见。“合口”是“末”警告“丑”不要作声，因为门不能说话。

这一段若撤去那些括号中的标志“介”（即动作）的舞台指示，那么，在阅读剧本时，其间的对白和独白就会令人莫名其妙。必须有这些“介”，才能将整个剧情连成一气，因此，剧本中的这些舞台指示都是不可缺少的，是南戏文学中的有机构成部分。

南戏在形式上比较灵活，篇幅长短不拘，演唱形式多样，颇有利于容纳各种题材的内容，刻画各种人物形象。南戏语言浅显、通俗，曲调轻柔婉转，适合表演情意缠绵的伦理戏，正投合了广大市民的爱好。

宋元南戏作品虽然大多已经失传，但从今存的少数作品以及佚曲和有关记载看，仍可辨识其大概面貌。南戏以文字质朴和形式自由作为自己的特点，与明代传奇不易混淆。宋元南戏的作者，是一些地位不高的书会才人，他们的创作，为尚处幼稚阶段的南戏体制的形成，做出了不可磨灭的贡献。

三　中国戏曲的完善

这里所说的中国戏曲的“完善”，指的是戏曲在文学创作与艺术表现上都已达到成熟的高度。这种“完善”的标志有三个：一是元杂剧作为一种独立的艺术形式，已经成熟；二是元杂剧在思想内容上有了新的拓展；三是元代涌现出一批成就卓著且各具特色的作家和演员。

北杂剧成熟于金末，衰于元末，几乎与元帝国的命运相终始。百年之间，北杂剧的演出风靡全国，剧本成百上千，而且成为文学史上与唐诗、宋词可以相提并论的文学形式，并在神圣的文学殿堂里为通俗文学争得了一席地位，成就是辉煌的。元代一统之后，是北杂剧的全盛时期。皇庆（1312—1313）、延祐（1314—1320）以后，杂剧中心逐渐从大都南移到以杭州为中心的江浙一带。北杂剧离开了北方以后，失去了扎根的土壤，势如飘萍，逐渐趋于衰败。

元朝是中国历史上由蒙古族入主中原所建立的朝代。蒙古族的入侵，对中原的政治、经济、文化都产生了复杂的影响。元朝统治当然有黑暗野蛮的一面，但是，不同民族语言、文化的差异，又必然使政治统治和思想控制出现空隙，从某种角度说，反倒造成了相对宽松的政治气候。游牧民族的生产方式，对农业经济有所破坏，但军需品和奢侈品的生产，又促进了城市经济的畸形繁荣和市民阶层的逐渐壮大，整个社会对文化的要求也促进了包括北杂剧在内的通俗文化的发展。蒙古族不拘“礼法”，带有原始特征的民族性格，冲击了中原已经十分发达完善的儒家礼制和观念上的规范，这一切构成了包含新的意识、新的风格的北杂剧产生和繁衍的社会文化背景；同时，从女真族开始一直延续到蒙古时代，对粗犷豪放音乐、歌舞的爱好，则直接影响到北杂剧刚劲豪健而又浅俗鄙俚的艺术基调的形成。

北杂剧以一大批优秀的创作，向我们展示了它不朽的成就。尤其是在宋杂剧、金院本全部流失之后，这些从形式到内容都相当完善的剧作，几乎使我们不能相信，它们竟是那个动荡年代的产物。

北杂剧的内容和基本格局

对于北杂剧繁荣的原因，前人和今人已做过多种阐释。大体说来，有以下几个方面：戏曲演出的社会化和商业化促进了演出活动的竞争和戏曲创作的发展；元王朝统治阶级对歌舞戏曲的爱好，鼓励了戏曲的发展；城市勾肆乐棚和农村戏楼舞台的出现，使戏剧进一步商业化；一大批伎艺优秀的演员的出现，推动了北杂剧演出和创作的繁荣。这些说法，都各有所据。在上述的繁荣原因之外，事实上，众多的知识分子从事或参加戏曲创作，是一个至关重要的条件。

从金国灭亡到延祐年间，其间有八十年未举行科举考试，“学而优则仕”“学成文武艺，货与帝王家”的传统仕途被阻塞，知识分子的出路就发生了问题。一般知识分子宁愿忍受十年寒窗之苦，为的是一朝蟾宫折桂，会名利双收，若帝王家并不需要他治国平天下的韬略，那么知识分子的价值就失去了实现的可能。元代实行举擢，但汉族儒学生员能自学校选举得官的，数量极少，因此，绝大多数知识分子须自谋生路，一些人去做医、卜、星、相，混迹三教九流之中；一些人只得屈身为吏，在漫长的吏途上苦熬岁月；一些人老于教授，为五斗米折腰；还有一些则参加了戏曲活动，与倡优、乐伎为伍。《录鬼簿》中记录的那些燕赵才人——杂剧作家，就多是“门第卑微，职位不振，高才博艺”（《录鬼簿序》）不得志的知识分子。

这些知识分子具有较高的文化素养，对社会问题又有比较明晰的认识，他们参加戏曲创作，使北杂剧的思想艺术成就迅速地超过南戏而后来居上。从这个意义上说，元代因科举不振而杂剧大盛是有道理的。

元代沦于下层社会的知识分子参加戏曲创作，使北杂剧的题材内容具备了空前的广阔性，并更具现实性。

元杂剧一改传统文学“明道”“言志”的一贯宗旨，开辟了为下层百姓立言和为失路儒生呼号两个新的领域。元人杂剧的作品中，出现了一个完整的世俗世界——下层妓女的追求与苦闷；商人在追逐财利过程中的甘苦与艰难；普通百姓与官府、豪强之间不共戴天的仇怨；痴男怨女之间的爱情离合……这些作品大多取材于现实生活，因而具有现实性和批判性这样两个显著特点。

元杂剧中还有一个儒生的精神世界，它的内容，除了表现怀才不遇的传统主题以外，不少作品描写了知识分子由于科举路断而看不到出路的苦闷；在追求实现人生价值过程中自尊和自卑相交织的痛苦；对失去理性的不公平世界的怨愤不平，等等。这些作品多为“历史剧”，作者常常通过评价历史事件和人物来表现对现实的肯定和否定，借古人酒杯浇自家块磊。

还有一些戏曲更重视表演的效果，如《张天师》《西游记》就比较追求花妖、神怪的奇异、诡丽；而《隔江斗智》《博望烧屯》则着眼于运筹帷幄、排兵布阵、两军对垒、智斗力战的武打场面，这些戏曲可以算是元杂剧中的“热闹戏”，在结构上也自有其独具的特点。

具有较高文化素养的元代文人对戏曲创作的介入，直接促成了北杂剧在艺术形式上的完善。

《中原音韵》的作者，元末人周德清曾说：“乐府之盛、之备、之难，莫如今时。其盛，则自缙绅及闾阎歌咏者众。其备，则自关、郑、白、马一新制作。韵共守自然之音，字能通天下之语，字畅语俊，韵促音调。”这段话明确说明元杂剧的文人作家对于北杂剧格律规则的确立所起的决定性作用。事实上，元人杂剧四折一楔子的基本格式的确定和起、承、转、合的间架结构的形成、联套规则的完善、音韵的改革能在很短的时间内形成一种约定俗成的规范，确是得力于一大批博学能文的书会才人的经营和扶植。相比之下，南戏虽然早起于北杂剧，但名家未肯留心，士大夫罕有留意，从北宋到南宋，虽不绝如缕，却很长时间都未能发展成涌流，直到元末明初，因有文人下顾南曲，才逐渐使南戏趋于兴盛，打开了新的局面。

周德清是音韵学家，他主要从文辞和音韵这两个方面，肯定了关（汉卿）、郑（德辉）、白（朴）、马（致远）和“忽听一声猛惊”的作者王实甫的成就。事实上，他们（主要是关、王、白、马）的成就并不止于“文词”和“音韵”两个方面。虽然没有史料明确地证明他们于北杂剧体制建立上的具体贡献，但他们的剧作却比较典型地体现了北杂剧的最高水平。

关、王、白、马等名家的作品，已经突破了宋代之前就已形成的，有情节的歌舞表演重于抒情，有科白的滑稽表演偏于讽刺的狭窄藩篱，使杂剧从单纯的娱宾遣兴的工具，成为反映社会生活，表现作家主体意识的艺术形式。这些作品在谋篇布局上，在语言（包括曲文和说白）的运用上，都能比较完美地发挥杂剧这一形式的优长，并由此丰富和开拓了作品的容量和表现力。

关、王、白、马的作品今知有一百一十一种，占《录鬼簿》和《录鬼簿续编》中一百零七位作家的四百一十五种杂剧的四分之一强。他们几乎把所有的社会生活都纳入了杂剧，其创作触及了社会生活的各个方面，而且“隐居乐道”“孝义廉洁”“钹刀赶棒”“悲欢离合”（《太和正音谱·杂剧十二科》）诸科兼具。

关、王、白、马的作品在谋篇布局、情节设置上已经摆脱了《张协状元》《小孙屠》《错立身》等作品所呈现的朴拙状态，而往往别出新意。例如关汉卿的《窦娥冤》全剧情节的构成，以矛盾冲突的发展转换展开：楔子写放高利贷的蔡婆与穷书生窦天章之间的矛盾，窦天章因无力偿还高利贷，将女儿抵给了蔡婆做童养媳，这是三岁丧母的窦娥悲剧命运的开始。第一折开戏时，窦娥已经为丈夫守孝，成了新寡。蔡婆讨债，赛卢医行凶，张驴儿父子强行住进蔡家，使矛盾从蔡婆与赛卢医之间转换到蔡婆与张驴儿父子之间。第二折由于蔡婆的妥协，窦娥反抗，剧中矛盾又转移到张驴儿与窦娥之间，这一矛盾由于张父被毒死而趋于激化。窦娥不肯“私了”，矛盾就又转换到窦娥与官府之间。窦娥为救婆婆，屈招药死公公，使她的悲剧命运达到顶点。第三折刑场发誓，是全剧的高潮，这一折情节上虽无发展，但窦娥的情感性格却得到充分的表现。第四折是一个昭雪的结尾，一个对观众心理的安慰。全剧情节曲折、波澜迭起，起承转合，紧凑自然。此剧的结构，在中国戏曲作品中是非常经典的；在北杂剧中，也是很有代表性的。

关氏的《单刀会》则又有变化，它第一、二折全用间接描写，通过乔公和司马徽的介绍来勾画关羽的大致轮廓。第三折关羽出场，驾一叶小舟前往东吴营中单刀赴会，情节马上进入了高潮。第四折写关羽用勇武的大将风度和汉家的正统观点挫败了鲁肃的三条计策，飘然而去，剧也在高潮之中，马上收煞。线条简洁、率直，全剧不看重矛盾冲突的设置，全以刻画人物的精神面貌、渲染气氛取胜。

白朴的《梧桐雨》又别是一家，它前二折铺叙渲染唐明皇的权力、享乐、富贵荣华和他与杨贵妃的爱情生活。第三折写兵变祸起，一切都在顷刻间烟消云散。最后一折是作者倾尽心力绘写的高潮——一种情感上的高潮——写唐明皇于深秋夜雨中为他所失去的一切而哭泣。这里的高潮，不是在矛盾冲突的顶点，却是在冲突顶点之后，充分渲染的是纯属感情性质的凄凉、寥落、怅惘的情绪，这一点正形成《梧桐雨》的诗剧特征。

其他如关汉卿《救风尘》、王实甫《西厢记》、马致远《汉宫秋》在结构格局上都各有特色，都可以算得上是工于篇章的求新之作。

北杂剧的抒情曲文使杂剧呈现一种诗化特征，这是对传统诗文的继承。诗词曲一脉相承的说法于明代已成定论，而明人也常像论诗那样从文辞、意境的角度去论曲。事实上，北杂剧有许多作品，特别是名家如关、王、白、马作品的曲文，常常是叙事与抒情密切结合，具有非常浓厚的诗意。例如关汉卿《单刀会》第四折，写关羽得胜回营的情景时，作者借助对自然景物的感受，表现人物当时的情感，于雄壮、苍劲的意境中，隐隐透出悲凉之气。又如王实甫《西厢记》中著名的“长亭送别”：

〔正宫·端正好〕碧云天，黄花地，西风紧，北雁南飞。晓来谁染霜林醉，总是离人泪。

作者全以写景来写情，简直是一首充满缠绵诗意的抒情诗。

再如马致远《汉宫秋》第四折，写汉元帝于秋夜对于孤雁哀鸣的感受：

〔尧民歌〕呀呀的飞过蓼花汀，孤雁儿不离了凤凰城，画檐间铁马响丁丁，宝殿中御榻冷清清。寒也波更，萧萧落叶声，烛暗长门静。

作者用夜间景物反衬出不眠愁人的孤寂、凄凉的心境。

这些抒情曲文富于文采的特点是非常明显的。戏文的曲文的突出特点在于“句句是本色语”（《南词叙录》）。净、丑扮演的角色固然语言粗鄙，曲文也俚俗浅近。即使生、旦扮演的官宦儒生、闺阁小姐，曲文也明白如话，不假雕饰，浅近直质近于口语。北杂剧已开始注意到语言风格与人物身份的关系，注意到人物语言的个性化问题。并特别留意到以诗为曲、以词为曲，将诗词的优美语言和含蓄的意境摄入曲中。因此，这些曲词，在阅读时，可以作为抒情诗欣赏，而置于剧中，又与剧中人物的特定环境、特定心理融为一体，与传统诗词相比，从写作技巧上看，这也应当是一种发展。

在文体上注重抒情性，注重传统诗词抒情特征的延续，以及更多地引起读者、观众的感情效应的企望，是中国戏曲的独具特质。西方的话剧在后来的发展过程中，已彻底与诗、歌唱分离，而转向侧重叙事因素。它们主要表现一个冲突的发生、发展和解决（或并不解决），诉诸情感，也诉诸理性，更重视启人心智。而中国戏曲着重表现的是一个冲突所导致的人物的离合、生死、成败、祸福相因的转化过程所引起的人物内心的情感和悲欢意绪的变化，虽也诉诸理性，但并不看重启发观者的个体思考，更多地寄希望于感情上的响应，引起共鸣。通过情绪感染的“中介”，以达到“劝善”和有裨“风教”的目的。这一点，决定了中国戏曲文体上以抒情曲词为“胆”的特征。也就是说，在中国戏曲中，传统诗词的影响是强大的，作家在转入代言体戏曲的创作时，在相当大的程度上，仍然沿袭着诗人把握、感受生活的方法。当然，创作者努力注意人物唱词与其身份、性格之间的吻合，以曲词来揭示人物的感情和心理状态。虽然如此，在突出人物鲜明的个性方面，也不能避免存在某些难以弥补的缺陷。在这种情况下，更为生活化，因而也更为个性化的宾白对话，就越来越成为人物塑造的另一重要手段。

用人物的对话表现人物性格，是代言体文学作品的重要特征。而要做到这一点，需要作者有很强的驾驭语言的能力。比如《窦娥冤》第三折，窦娥在刑场上嘱婆婆：

> 婆婆，此后遇着冬时年节，月一十五，有瀽不了的浆水饭，瀽半碗儿与我吃。烧不了的纸钱，与窦娥烧一陌儿，则是看你死的孩儿面上。

说话的口气，非常符合童养媳窦娥的特殊身份和临刑前的特定场合，揭示了一个即将含冤而死的善良灵魂凄苦无告的心境。

杂剧名家王实甫《西厢记》中红娘的语言，也是非常性格化的。比如作者安排红娘三次文绉绉地大讲“道学”，都具有特殊的戏剧效果。第一次红娘搬出孔孟之道，是为了阻拦张生冒冒失失的询问。细细体味，红娘本负有提防外界侵扰小姐的责任，以此塞住张生的口，再合适没有了。而且，这段话还由于小题大做而产生了一种嘲弄的意味。第二次是张生跳墙，过于冒失，莺莺变卦，造成僵局，红娘又一次以孔圣之书、周公之礼教训张生，先脱去莺莺的干系，再给张生定下“大罪”，使莺莺感到不忍，然后平息了这场风波。她的话不会真使观众感到张生黉夜跳墙，非奸即盗犯了大罪，反倒是向人们揭示出纲常伦理的悖逆人性。第三次红娘搬出“信者人之根本”的封建信条，责备崔母的言而无信、忘恩负义，她是用老夫人常常挂在嘴上的理论来揭露老夫人的虚伪，取得了义正词严的效果。在北杂剧中，以说白塑造人物形象的成功例证举不胜举。

元代儒生出身的书会才人在舞台实践中，迅速地完善了北杂剧的结构体制，形成了四折一楔子简洁的体式，起、承、转、合的故事结构。（这一结论根据《元曲选》，至于明代万历间臧晋叔编选出版的《元曲选》是否是元代杂剧的体制，研究界尚有异说。）

以四大家为首的优秀作家的创作，对于题材的扩展，对于主题的开掘，对于语言的个性化，对于音韵格律的严整要求，都给北杂剧这一艺术形式注入了新的生机。这些作家曾是深具传统文化造诣的书生，他们把传统诗词的精华融入了杂剧之中，他们又常常“躬践排场，面傅粉墨”，谙于舞台实践，因此，又能将作者的意图巧妙地达之于观众，创造了作者与观众共同认可的虚拟化表演程式，确定了唱、念、做、打熔于一炉的基本形态，他们与演员、观众的共同创造，将中国戏曲推上一个成熟的阶段。

北杂剧组织结构的确立

北杂剧是以金代北方地区民间流行的俗谣俚曲为基础，吸收宋代大曲和诸宫调、唱赚联套的优点及宋杂剧、金院本舞台演出的经验，加以融合、丰富、提高而形成的新的艺术形式。

北杂剧有时又被称为“元杂剧”“北曲”“元曲”。“元”表示时代，可与宋杂剧、明杂剧相区别，“北”标志地域，与用南曲的南杂剧、南戏划清界限。但这四种称谓彼此间都有区别：北杂剧指宋元时的北方戏曲，或与南曲杂剧相对而言；元杂剧指元代北杂剧；北曲指金元时北方的散曲或北杂剧所用各种曲调；元曲指元代北曲。但在约定俗成的概念中，这四种称谓都可以指代元人杂剧。杂剧之所以被泛称为“北曲”“元曲”，是因为它的曲词部分与散曲一样，都是按北方曲调的曲律进行创作与歌唱的。

散曲的形成早于杂剧，是继宋词以后出现的一种新的诗体，所以又称“词余”。元杂剧是利用散曲中的套曲形式创作的歌剧，因此，散曲和元杂剧虽属两种不同的文体，却又有密切的联系。散曲的形式分小令和套数两种：小令指短小的单支曲子，套数又称套曲或散套，由同一宫调的曲子联组而成，有首有尾，一韵到底，联套方式取法于金代说唱诸宫调。套数的出现，为元杂剧的音乐体制奠定了基础。

曲词和音乐固然有着明显的承启关系，若从艺术结构、表演方式、角色行当上进行分析，它的血亲却应当是宋杂剧和金院本。河南偃师宋墓墓壁上的官本杂剧砖雕，与山西侯马金墓中的舞台戏俑以及山西芮城元墓中石椁上的线刻杂剧人物，从装扮角色到表演情况都极类似，形象地显示了三者（宋官本杂剧、金院本、元杂剧）之间的血缘关系。今存元杂剧中存在的金院本“双斗医”“针儿线”，更直接地说明了杂剧对院本的吸收。

前面说过，元杂剧的完备在金末元初（13世纪初叶到中叶），成熟和兴盛，则是在元一统之后。经过七百多年的流失之后，现在有名目可考的元杂剧还有七百多种，有姓名可考的作家二百余人，保留到现在的元杂剧作品也还有一百六十余种（《元曲选》《元曲选外编》）。这一切都为我们今天研究元杂剧提供了方便条件。

元杂剧作为我国戏曲史上最早出现的成熟的戏曲形式，它与南戏在文体和艺术形式上的区别在于格局严整。格局的严整，从文体的角度来看，意义是重大的。这种进步，虽然是这一艺术形式在发展演进过程中必然达到的境界，但是，如前所述，推动并具体实现这一演进的，首先要归功于元代的一大批有较高文化素养的书会才人和有才华的演员的努力。应当说，一种全新的艺术形式和文体的出现，是一件了不起的事，元代的戏曲家的创造力和他们的贡献，绝不亚于唐代诗人和宋代词人，当我们仔细剖析元杂剧的严密体制时，这印象就会更加强烈。

（一）组织结构

元杂剧一种称一“本”，一场称一“折”，不够一折的开场或过场戏称“楔子”。一本四折加楔子，是元杂剧的基本构成形式。这四折加楔子基本上是与所表演的故事的发生、发展、高潮、结局相对应，形成一个比较固定的框架。楔子是全剧的灵活而重要的补充，或在开首起交代作用，或在中间起过渡作用。

分“折”的说法，起于元代，如元人钟嗣成的《录鬼簿》注张时起《赛花月秋千记》为“六折”，注《开坛阐教黄粱梦》云：“第一折马致远，第二折李时中，第三折花李郎学士，第四折红字李二。”看来，元代即有分“折”的规矩。但是刊刻于元代的《元刊杂剧三十种》的剧本中，却只是通过剧中情节形成的自然分界和人物的上、下场来划出场次段落。这种与《录鬼簿》记载不相符合的情况，或许是刊刻者认为没有必要标示，抑或是剧本的性质（演出本？阅读本？）不同的缘故吧。元末明初人的剧本，开始出现把楔子分出来的情况，直到明代中期刊刻的元杂剧剧本选集，例如臧晋叔的《元曲选》，才将剧本中的四折和楔子做了正式的规范化的标示。

楔子是正戏的一个组成部分，由剧中人物上场表演。它不同于宋代歌舞和杂剧表演之前的“致语”，“致语”是表演节目之前的颂词，由“竹竿子”念四六骈句，与节目本身并无联系。也不同于金院本中的“引首”，因为这“引首”是在正式院本演出之前表演的音乐、歌舞、武术、杂技之类的具有独立性的开场前的小节目。更不同于南戏及明清传奇中的“副末开场”，因为“副末”以不是剧中人的身份用诗或词来浑说大意，介绍剧情，作为一个报幕式的开场。

《元曲选》中有楔子的剧本有六十九种，少数剧本有两个楔子。大多数楔子是居于剧首，少数在剧中间。楔子大多比正戏的一折短，主要用说白，一般不用套曲，只用一两支单曲（大多为中速平稳的仙吕曲调），协助说白进行交代。如《窦娥冤》的楔子放在剧首，内容是交代窦娥七岁时被卖给蔡婆的经过，是正戏中表演窦娥悲剧命运的补充。《襄阳会》的两个楔子分别在二、三折和三、四折中间，分别是表演刘备遇庞统、访徐庶和张飞捉拿曹章的过场戏。这三个楔子中都有〔仙吕·赏花时〕曲。而且，楔子可以由非主唱的其他角色来唱。

元杂剧的一段戏，称为一折。一折中以一个套曲为核心，情节上也自成一个段落。对于一本四折的来源，通常的看法是沿承宋、金杂剧的旧制，也可以说，戏曲虽然以“代言”为主要特征，同样也遵循传统叙事文学起、承、转、合的叙事规律。“起、承、转、合”是符合汉民族思维逻辑的诗文结构的一般程式。元人范梈在《诗法》中曾做过这样的总结：“作诗有四法，起要平直，承要舂容，转要变化，合要渊永。”揣测文意，“平直”“变化”易晓，“舂容”原意为撞击，当指矛盾和错忤，“渊永”大意为意味深长、余韵回绕之意。

当元代文人第一次进入元杂剧的创作领域时，他们是把杂剧所要表现的事件和情绪，按照诗文作法，简单而直接地纳入了起、承、转、合的轨道，颇类后来的八股时文。如同明代戏曲理论家王骥德在他的论著《曲律·章法第十六》中所说：“作曲者，亦必先分段数，以何意起，何意接，何意作中段敷衍，何意作后段收煞，整整在目，而后可施结撰。此法，从古之为文，为辞赋，为歌诗者皆然。”事实上，元杂剧大多数作品的四段情节结构，也都是大致符合起、承、转、合的规律的。后来明清传奇的剧情结构，总的来看也符合这一规律。只不过由于内容趋于复杂，表现上又尚铺排，起、承、转、合就不像杂剧四折表现得那么直接、简单了。

从文学角度审视，元杂剧一本四折的结构方法，显示了它简洁而清晰的特点。与宋元南戏和明清传奇的长于铺陈相比，它的结构真是简化和明了到了极点。

从保留下来的大多数元剧剧本看，元杂剧以“折”加以分割，给人的印象是类同今天戏剧的“幕”或“场”。事实上从表演角度来看，元杂剧是连场戏，折与折的变换是以角色上下断成段落。有时一折中的内容是发生于一个地点的一件事，这个段落就显得自然而分明。但有时，一折中的时间、地点、内容、场景却可以有变化，如《汉宫秋》的第三折，开始表现汉元帝灞桥送明妃，接着是明妃在黑龙江投江自尽，时间、地点及人物都有变化。《救风尘》第四折则由三个场景组成：一是宋引章被周舍赶走；二是宋引章和赵盼儿双双逃跑；三是在郑州衙门宋引章与周舍打官司。这种情况说明，连场演出对段落场次的划分与文学剧本以折分场的不一致情况经常存在。可见，元杂剧的“折”，并不一定显示时间、地点的统一。这和西方戏剧有明显的差异。而元杂剧一本四折主要反映了作者在文体上的一种规范化的要求。

南戏剧本的开头在正戏开场之前，有“题目”冠于其首。北杂剧是在剧末正戏结束之后，有“题目正名”殿于其后。二者作用相差不多，都是提要剧情和标明剧名。

“题目正名”有时也被简化成“题目”或“正名”，明代有些元剧刻本如《柳枝集》《杂剧十段锦》，也将“题目正名”放在剧首，而大多数明抄本、《元曲选》本及元刊本，则都将“题目正名”殿于剧末。其实，“题目正名”并非剧本的固定组成部分，于演出实际状况也无关，只作宣传广告之用，放在哪里都关系不大。不过，由于元刊本系元人刊刻，《元曲选》本又流传最广，所以一般人自然都认为元杂剧的“题目正名”是应当缀于剧末的。

题目正名有二句和四句两种格式，视剧本内容的单纯和复杂而定。如元刊本《调风月》题目正名为“双莺燕暗争春，诈妮子调风月”，而元刊本《赵氏孤儿》为“韩厥救舍命烈士，程婴说妒贤送子。义逢义公孙杵臼，冤报冤赵氏孤儿”。两句式一为起句，一为收句，如同一副对联；四句式二四押韵，好像四句诗。句式整齐而且可以断开，断句有节奏规律可循，如：六字句断为三、三，七字句断为三、四，八字句断为三、五，九字句断为四、五，十字句断为三、三、四，使读者顺口易记。

题目正名一般都概括了全剧的剧情和主要人物，并隐括了剧名。大多数剧名是采用了题目正名最后一句的最后几个字。例如《单鞭夺槊》的题目正名为“单雄信断袖割袍，尉迟恭单鞭夺槊”即是如此。

题目正名常常被改易。这种改易有时反映了编者对作品理解和概括的不同侧重点。如《元曲选》本《望江亭》题目正名为“清安观邂逅说亲，望江亭中秋切鲙”，而息机子本的题目正名则为“洞庭湖半夜赚金牌，望江亭中秋切鲙旦”即是。

元杂剧的题目正名在流传中，逐渐由繁至简。如元刊本《汗衫记》《东窗事犯》《单刀会》《任风子》《老生儿》《赵氏孤儿》《薛仁贵》等都是四句式，而天一阁《录鬼簿》和《元曲选》本都改成了两句式。

（二）音乐格律

北杂剧的情节是以歌唱为中心进行结构的。它在音乐上的特点，一是使用北曲，二是采用多宫调多曲体的联套方式。

北曲的曲调来源很丰富，与南曲不同，是以流行于北方的汉族和少数民族的民歌及北方的歌舞伎艺音乐为主。如：〔落梅风〕〔呆骨朵〕〔木兰花慢〕〔摸鱼子〕〔生查子〕〔木斛沙〕〔黑漆弩〕〔绿腰催〕是流行于山东、山西、河南、河北、陕西一带的北方歌曲；〔风流体〕〔阿那忽〕〔也不罗〕是女真歌曲；〔太平令〕〔紫苏丸〕和〔缕缕金〕出自唱赚；〔出队子〕〔刮地风〕〔混江龙〕来自诸宫调；〔醉花阴〕〔菩萨蛮〕〔粉蝶儿〕出于宋词；〔小梁州〕〔六么遍〕〔八声甘州〕源于宋代大曲……这多方面的来源，使北曲具有丰富的表现力，而因以北方歌曲为主，故北曲又自然形成一种粗犷豪放的基调。

元代北曲大盛，《中原音韵》中载有三百三十五个曲牌（曲牌为曲子的名称）。《元曲选》卷首附录陶九成《论曲》中记载的北曲曲牌竟有五百多个。当然，常用的曲子没那么多，也就是二百多个而已。这些曲子都按其调式和调性不同，归入相应的宫调中。

北杂剧所用有十二宫调，即《中原音韵》和《太和正音谱》归纳的：黄钟、正宫、大石调、小石调、仙吕、中吕、南吕、双调、越调、商调、商角调、般涉调十二种。实际上，常用的仅只五宫四调，亦即平时所说的北九宫，包括正宫、南吕、仙吕、中吕、黄钟、大石调、双调、商调、越调。

宫调犹如今天所谓调门，不同的宫调调门的高低不同。每一宫调中都包括了若干曲调，这些曲调名又叫曲牌，每个曲牌都属于一定的宫调，字数、句法、平仄都有基本定式，可以据以填写曲词。各种不同宫调，具有体现不同戏剧情调的声情，例如，元人燕南芝庵《唱论》归纳北九宫声情如下：

正宫：惆怅雄壮　大石调：风流蕴藉

南吕：感叹悲伤　双调：健捷激袅

仙吕：清新绵邈　商调：凄怆怨慕

中吕：高下闪赚　越调：陶写冷笑

黄钟：富贵缠绵

北杂剧曲子的联唱，与这些曲子所属的宫调和所具有的声情都有很大的关系。北杂剧联套有着极严格、极齐整的章法，与南戏迥不相同。

按北杂剧的一般情况，每折用一套曲子，四折即用四个套曲来完成。按北曲联套的规定，每个套曲用同一宫调的曲牌，取其宫调一致，伴奏和演唱都不必频繁地调整调门。而且，同一宫调的曲子声情相近，有助于表达同一种感情。

当一折之内的剧情发生变化转折，需要把不同声情的宫调的曲子组织到一起时，就要借宫，把别的宫调的曲子借过来使用。但借宫的前提是必须两个宫调属于同一调门。这是一种变通，一种在大原则之下的变通。例如《魔合罗》第四折的曲牌组织是：〔中吕·粉蝶儿〕〔醉春风〕〔叫声〕〔喜春来〕〔红绣鞋〕〔迎仙客〕〔白鹤子〕〔么篇〕〔么篇〕〔么篇〕〔么篇〕〔么篇〕〔叫声〕〔醉春风〕〔滚绣球〕〔倘秀才〕〔蛮姑儿〕〔快活三〕〔鲍老儿〕〔鬼三台〕〔剔银灯〕〔蔓菁菜〕〔穷河西〕〔柳青娘〕〔道和〕〔煞尾〕。

这套中吕套曲中，借用了“正宫”的五支曲子（〔白鹤子〕〔滚绣球〕〔倘秀才〕〔蛮姑儿〕〔穷河西〕）。因为这一折是张鼎审案，对于不同的对象，他的情绪发生不同的变化，因此，仅只“高下闪赚”的“中吕”就不够用了，需加上“惆怅雄壮”的“正宫”。这种变通，丰富了人物特定情感的表现。中吕、正宫调门相同，所以可以发生借宫。

这种曲牌联套的结构形式，有很长的发展历史，可以一直上溯到词的歌唱。词为单阕歌唱，即使如鼓子词那样把若干段反复咏唱，也未脱离所谓“单曲体”的格范。“转踏”为诗和词的循环咏唱，是“联套”的萌芽。“唱赚”将更多的同一宫调的曲子联起来歌唱，扩展了套数的规模。但这属于单一宫调的“多曲体”，虽然规模大，也还没有突破宫调的限制。金代诸宫调的出现，创造了多宫调的多曲体，开始将不同宫调的套曲联在一起咏唱。大约问世于金初的《刘知远诸宫调》，多由一曲一尾的短套组成；发展到金章宗时出现的《西厢记诸宫调》，联套的篇幅就越来越长了，出现了由九支曲组成的套数。北杂剧采用了诸宫调的多宫调、多曲体的联套方式，继承了大型联套结构可以集中抒情的优长，避免了宫调变换过于频繁的缺点。

北杂剧一折用一套曲，一套曲属一个宫调，每套曲的宫调标示在套曲的第一支曲子上。一般四折四套曲子的宫调不相重复。像《虎头牌》这样二、三折都用双调的情况比较少见。

四套曲的选择，视剧情不同而各异。每个套数所联之曲可多可少，但总的是长于诸宫调，一般由十支到十五支曲左右组成，最多有长到二十六支曲的套数（如《魔合罗》第四折）。当然，也有短到由三支曲组成的套数（见《追韩信》第四折）。曲子如果连续使用，用〔么篇〕表示重复前曲，犹如马致远的《黄粱梦》第二折〔醋葫芦〕后有九个〔么篇〕表示此曲连用十次，不像诸宫调有所谓三叠、四叠。杂剧中还有所谓“子母调”，指两个曲子循环多次使用，如《救风尘》第三折〔滚绣球〕与〔倘秀才〕交替使用。诸宫调首曲没有定例，而北杂剧每一宫调的首曲，都有规矩，如：〔仙吕宫〕必用〔点绛唇〕，〔南吕宫〕必用〔一枝花〕，〔中吕宫〕必用〔粉蝶儿〕，〔双调〕必用〔新水令〕，等等。总的来说，北杂剧的音乐组织比它的母体诸宫调要严格、整齐，更讲究章法。

但在今存的元杂剧中，却存在着互相因循的陈套。如〔仙吕〕有四十二支曲调，常常将〔点绛唇〕〔混江龙〕〔油葫芦〕〔天下乐〕〔醉中天〕〔金盏儿〕〔醉扶归〕等十几支曲联用。而四折用〔仙吕〕〔南吕〕〔中吕〕〔双调〕也是一个常见的格式。

为了弥补同一宫调的曲子连续歌唱时可能产生的平板和缺少变化，除了用“借宫”之外，还有“南北合套”出现。《录鬼簿》说“南北词调合腔”由元人沈和甫创始，其实不见得正确。实际上，元初人杜仁杰就已有散套《七夕》使用南北曲合腔了。不过在现存元人杂剧中，没有这样的例证。今存贾仲明杂剧《升仙梦》全剧四折都使用南北合套，可贾仲明已是明初人。南北合套的曲子由一北一南相间安排，每个合套的开头和结尾都用北曲。当然，合套用的南北曲的旋律要能够和谐地衔接，这样，北曲的雄壮和南曲的宛转就可以相得益彰了。元代南戏《小孙屠》中已有南北合套，虽然北方散曲家杜仁杰写南北合套在先，但似乎南戏中应用南北合套早于北杂剧，北杂剧作家使用南北合套是很迟的事，若以贾仲明为始，则至少已是明初。

元杂剧根据北方方言没有入声字的特征，对声韵有新的调整，主要是根据口语将入声字分别划入平、上、去三声之中，而将平声字分出阴、阳两类，即所谓“平分阴阳，入派三声”。这与六朝、唐宋以来诗词所用的《切韵》《唐韵》《广韵》全不相同。元末人周德清根据北曲用韵的上述特点，将北曲归纳为“十九韵部”（见《中原音韵》）。北杂剧的用韵特点有四：一为平仄通押；二是每套曲一韵到底，中间不换韵；三是不忌重韵；四是曲尚赘韵（即押韵越频繁越被视为“韵促音调”）。总的来说，曲韵是宽了，而且，韵部统一于口语，于创作和演唱、欣赏都较为方便。

（三）曲文、宾白与其他文字说明

元人杂剧语言方面的成就，通过曲文和宾白表现出来。

对元人杂剧的语言风格特色，明人有以“本色”二字概括者。“本色”在这里大体上是个性化的意思。又有人以为元人杂剧的语言有以王实甫为代表的华美藻丽和以关汉卿为代表的本色两派，那么，这里的“本色”就变成口语、质朴、白描的意思了。

元杂剧的曲文，多为抒情而设，藻丽也罢，本色也罢，当以王国维所说的“写情则沁人心脾，写景则在人耳目，述事则如其口出”（《宋元戏曲史》）为高。实际上元人杂剧名家虽然存在文采和本色的侧重，但他们运用语言都可以说达到了文白兼擅、雅俗相济的境界。

例如《西厢记》有两段曲文：

〔混江龙〕落花成阵，风飘万点正愁人。池塘梦晓，栏槛辞春，蝶粉轻沾飞絮雪，燕泥香惹落花尘。系春心情短柳丝长，隔花阴人远天涯近。香消了六朝金粉，清减了三楚精神。

〔满庭芳〕来回顾影，文魔秀士，风欠酸丁。下工夫将额颅十分挣，迟和疾擦倒苍蝇，光油油耀花人眼睛，酸溜溜螫得人牙疼……

前者描绘相府千金春日情思，含蓄委婉，有诗的意境、词的色调。后者从一个丫鬟眼睛里看书生的狂喜神态，不加文饰，近乎直白，幽默风趣，符合剧中红娘活泼、开朗的性格和她对张生的嘲弄态度。王实甫语言的特点是于华美中显示本色。

关汉卿的《单刀会》和《窦娥冤》中有两段曲词：

〔驻马听〕水涌山叠，年少周郎何处也，不觉的灰飞烟灭。可怜黄盖转伤嗟，破曹的樯橹一时绝，鏖兵的江水犹然热，好教我情惨切，二十年流不尽的英雄血。

〔快活三〕念窦娥葫芦提当罪愆，念窦娥身首不完全，念窦娥从前已往干家缘。婆婆也，你只看窦娥少爷无娘面。

前者写关羽的英雄气概，曲文颇富豪放、沉郁、苍劲的雄浑风格。而后者写窦娥临刑前对婆婆的嘱咐依恋，情意真切、质朴感人。二者语言风格于本色中富于文采。

元杂剧曲文语言与诗词相比较，趋于口语，这种雅俗结合风格的形成，与散曲、戏曲属于俗文学，面临着以下层市民为主的多层次的观众对象有很大关系。与此相适应，元杂剧曲文的一些结构规则，也有助于雅俗的融合。

元杂剧的曲文与词一样，也是长短句，但它又不同于词，因为词的字数一定，不能随意增删，而曲在加“衬字”和“增句”上却可以有很大幅度的自由。衬字也叫“垫字”，是正字以外增加的字，用以调节句法、表达感情、活泼语气、俗化句意。衬字可以加在句首或句中，但不能加在句尾。衬字不拘平仄，不拘多少，有时衬字于一句之中可以多到一二十字，通常以六七字最常见。如《西厢记》“长亭送别”中的〔叨叨令〕：

> 见安排着车儿马儿，不由人熬熬煎煎的气，有甚么心情花儿靥儿，打扮的娇娇滴滴的媚，准备着被儿枕儿，则索昏昏沉沉的睡，从今后衫儿袖儿，都揾做重重叠叠的泪。兀的不闷杀人也么哥，兀的不闷杀人也么哥。久已后书儿信儿，索与我栖栖惶惶的寄。

傅晓航编辑校点《西厢记集解》

这段唱词正字共五十一个，衬字（加黑点者）四十三个，（有音无义的“也么哥”六字除外）。此段唱词的神韵全在衬字上，有了这些衬字，不仅使句式由死板而活泼，而且使唱词口语化，通俗易懂。

曲词中还有所谓“增句”。如《柳毅传书》第一折中的〔混江龙〕：

> 往常时凌波相助，则我这翠鬟高插水晶梳。到如今衣裳褴褛，容貌焦枯，不学他萧史台边乘凤客，却做了武陵溪畔牧羊奴。思往日，忆当初，成缱绻，效欢娱。他鹰指爪，蟒身躯，忒躁暴，太粗疏，但言语，便喧呼，这琴瑟，怎和睦。可曾有半点儿雨云期，敢只是一划的雷霆怒。则我也不恋您荣华富贵，情愿受鳏寡孤独。

这里在正文中，增入了十二个三字句。这十二个声繁调促的短句，增强了句子的急促节奏，加强了表现力。

这“衬字”和“增句”给作者和演员很大的自由，这些衬字、增句如同诗、词的注解，把难懂的字句都化成了通俗入耳的口语。

元杂剧的曲文都是给主角安排的，是“一人主唱”全部套曲，与南戏所有的人物都可以参加歌唱不同，事实上，“一人主唱”的说法不太确切，应当说元杂剧的四个套曲大多数由一人主唱，还有一部分是用一种角色主唱（在《元曲选》中，这类剧本有三十多种）。由男主角“正末”主唱的剧本叫“末本”，由女主角“正旦”主唱的剧本叫“旦本”。

把曲文歌唱都分配给主角的好处是可以充分展示主要角色复杂的内心世界，并发挥主要演员的歌唱才能。比如白朴的《梧桐雨》杂剧第四折，用二十三支曲子，分四个层次描绘唐明皇在经历了富贵烟消、爱情云散的变故之后所产生的虚幻、凄凉的失落感和无可挽回的惆怅心情。这以歌唱表现的大段的内心独白，揭示人物内心非常成功。“一人主唱”的缺点是在某些剧中，特别是情节比较复杂，或重要人物不止一个时，一人主唱，其他人只有说白，人物形象的塑造就会受到影响，例如《汉宫秋》由正末主唱，王昭君只有简单的说白，她辞别汉元帝以及投江前后的细腻的内心活动就不易表现，因而显得不够丰富。同时演员也存在劳逸悬殊的问题。

为了弥补这样的缺陷，元杂剧在创作中出现了变通的办法，叫“倒扮”，或叫“改扮”，就是角色不变，主唱人物更换，亦即将唱词分给不止一个角色。例如《单刀会》是“末本”，四折都是正末主唱，但第一折正末扮乔公，第二折正末扮司马徽，第三、四折正末扮关羽，这样就把一人主唱改变为由三个人主唱了。这种变换主唱人物的做法，一般是男女角色不能互换，而且更换主唱人物时，原来的主唱人物不上场。当然，“倒扮”并不仅仅因为唱功太重，演员吃不消，主要还因为戏曲题材有种种差异，难以全部都天衣无缝地纳入“一人主唱”的框架之中。从戏曲的发展趋向上看，给更多的角色安排唱词，可能是艺术形式上克服“一人主唱”造成的某些弊病的进展。

除了倒扮之外，有时作者还安排一个或二三个花面角色唱零支小曲，以调节单调的气氛。但这种安排很有限，这些曲子多半是小曲或曲尾；用韵与套曲不同；一般放在二或三折套曲的开头或结尾，有时还伴有科诨式的说明。例如《蝴蝶梦》是正旦王婆婆主唱，第三折结束时，丑扮的王三唱了曲尾〔端正好〕和〔滚绣球〕，唱时有张千问：“你怎么唱起来？”王三答：“是曲尾。”这些小曲的插入，常常可以活跃气氛，起到调剂和渲染的作用。

在元杂剧中，除了曲词之外，宾白也是主要的表现手段。剧本中人物所说的话，包括自言自语、对话以及念诗、念引子，都叫“说白”或“宾白”。如果说元杂剧中的曲文主要为抒情而设，是为了揭示人物内心活动，抒发情感，那么说白的主要作用则是叙事和插科打诨。由于宾白中常有诨语，诨语难免“鄙俚”之嫌；宾白中又多日常对话，对话也不易跳出“蹈袭”窠臼，因此，有人认为剧中宾白则是“演剧时伶人自为之”（臧晋叔《元曲选序》），或认为元杂剧是“教坊乐工先撰成间架说白，却命供奉词臣作曲”（王骥德《曲律》）。一说先有“曲”后有“白”，一说先有“白”后有“曲”，却都认为“曲”“白”出于两途，非一人所作。事实上，元杂剧作品大多数带有“集体创作”的成分，自然会有一个主要创作者，但在演出、刊刻过程中，艺人和编选者不断进行修改的情况，也是会经常发生的。尤其容易受到改易的是宾白，因为宾白不配乐，不押韵，按照伶人插科打诨可以即兴发挥的传统，不同的演员不断改动说白，是可以理解的。但是，好的剧本中的说白，与曲文水乳交融，相辅相成，不可分割，即达到了所谓“曲白相生”的程度。遇到这种情况，就使人难以想象那是凑合而成的百衲衣而不是出于有统一构思的作者之手了。

说白包括韵白和散白两种。韵白包括上场对、下场对，上场诗、下场诗。对为两句，字数不定，以五、七言居多。上场对犹如“月过十五光明少，人到中年万事休”（《古名家杂剧》本《蝴蝶梦》），下场对如“眼观旌节旗，耳听好消息”（《望江亭》）之类。诗为四句，有时八句。下场诗有时还由二人或三人分念，还有的下场诗以“下断”的断词形式出现，句数就比较多了，如《张天师》结束时断词为十言十六句，《潇湘雨》断词为七言十六句。

散白有各种形式，如独白、对白、带白、插白、内白和“外呈答之”等等。

“独白”多是角色自言，没有听话对象，实则是向观众作自我介绍。还有所谓“背躬”，是角色向观众说明自己的心理活动以及对人和事的看法、评论。比如《谢天香》第二折，钱大尹说：“嗨，可知柳耆卿爱她哩，老夫见了呵，不由的也动情。”这话不是向在场的谢天香和张千说的，而是向观众说明自己的心理活动。

“对白”指对话。

“带白”和“插白”指唱中出现的说白。

例如《梧桐雨》第二折〔红芍药〕：

腰鼓声乾，罗袜弓弯，玉佩丁冬响珊珊。即渐里舞弹云鬟，施呈你蜂腰细，燕体翻，作两袖香风拂散。〔带云〕卿倦也，饮一杯酒者〔唱〕寡人亲捧杯玉露甘寒，你可也莫得留残，搽着个醉醺醺直吃到夜静更阑。

《墙头马上》第三折〔得胜令〕：

> 冰弦断便情绝，银瓶坠永离别，把几口儿分两处〔尚书云〕随你再嫁别人去〔正旦唱〕谁更待双轮碾四辙，恋酒色淫邪，那犯七出的应拚舍，享富贵豪奢，这守三从的谁似妾。

第一段中的“带云”是带白，是主唱者在唱腔中杂入说白。这种说白一般不会太长，起连接作用。这段唱词中若无此带白，上下曲文就连接不上了。第二段的“尚书云”是“插白”，是由别的角色在主唱者的唱词中插入说白，颇类与主角的对话，只是一个唱一个说而已。

“内白”和“外呈答云”都是剧中角色与后台人员的问答。例如《东坡梦》中：“〔行者向古门云〕山下俗道人家，有一百八十多斤的猪，宰一口儿。〔内云〕忒大没有。”这“内云”就是“内白”，表示“俗道人家”，并不出场。又如《刘关张桃园三结义》第四折中：“〔屠户上云〕……那个姓刘的便脸白，姓关的便脸红，俺哥哥便脸黑，我要作四哥，嫌我花脸，不要我，不要的也是。〔外呈答云〕怎么也是〔屠户云〕皆因我色道不对。”这里的“外呈答云”是非剧中人与剧中人对话，以引发下面的情节。类似未出场的群众演员。

宾白是展示情节、交代动作、描绘心理的重要手段。无论有唱词的主角还是全靠说白塑造的配角，形象的成败，都与说白有重要的关系。前面讲过的《西厢记》中的红娘，《望江亭》中的张千、李梢，以及《鲁斋郎》中蛮横阴冷的鲁斋郎，在很大程度上，是靠说白来突出其性格特征的。况且，插科打诨一项，也赖宾白完成，它是调剂剧情、活跃气氛的重要因素。歌唱与宾白的结合，是戏曲比歌舞表演、滑稽表演最明显的进步。一个作品的好坏，不仅决定于曲词是否优美，也不仅决定于宾白是否巧妙，而是必须“曲白相生”，才能臻于妙境。

除了“曲”和“白”以外，元杂剧的剧本中，还有一些类似今天所谓“舞台指示”的说明文字，主要标示对于表演动作、服装道具的设计。其中包括对“科介”“砌末”“效果”“行头”的说明。

动作在元杂剧中叫“科”，内容同于南戏中的“介”。在戏曲剧本中，“科”“介”“科介”“科泛”都是同样的意思。“唱、念、做、打”中的后两项，都属于“科介”的范围。在演出中，“科介”可能有丰富的内容并能引起强烈的舞台效果。但在剧本中，却只是一种简单的说明，如“哭科”“笑科”“见科”“拜科”“调阵子科”“舞科”“跳江科”“醒科”“抢出科”“跪科”“杀科”“上驴科”“叹科”“悲科”“饮酒科”“操琴科”等等。

“砌末”即是今天所谓“道具”。一般说来，作者在剧中设计的“砌末”，都必定会在某个场合有特别的用处。如《救风尘》第四折宋引章与赵盼儿逃跑时，拿着休书。“拿着”休书逃跑，不尽符合情理，但这休书后来被周舍抢去撕碎，休书上有戏，因此，这“砌末”十分重要。他如《杀狗劝夫》中的死狗、《李逵负荆》中酒店的酒旗、《盆儿鬼》中的瓦盆、《魔合罗》中的魔合罗、《梧桐雨》中的金钗钿盒都是与剧情有关或与人物行动有关的重要道具，因而在文学剧本中要特别加以标示，并成为剧本的重要组成部分。

今天舞台上所谓“效果”在元杂剧中也叫“科”，但这种“科”与前面所说代表对人物动作表情的设计的科介不一样。它是配合剧情所做的模拟声响的说明，如“雁叫科”“内作风科”“内作雷响科”以及鸡声、犬声、更声、鼓声、号声、琴声等。这些“效果”在演出中的重要性是不言而喻的，即使读剧本，对于“效果”的说明也不可缺少。

“行头”指演出服装。今存明代脉望馆钞校本《古今杂剧》后面附有“穿关”，即交代演出时的装束和携带的器物。可以表示人物的老少、男女、文武、民族、身份等级、宗教信仰等区别。

北杂剧作品中出现的角色，比南戏更加复杂和完备，这大约与元杂剧题材的丰富和复杂有关。从元刊《古今杂剧》和《元曲选》的角色来看，大致可以分为六类：

一、末——正末、冲末、外末、副末、小末。

二、旦——正旦、副旦、外旦、贴旦、小旦、搽旦、老旦。

三、净——净、外净、副净。

四、外

五、丑

六、杂——孛老、邦老、卜儿、俫儿、驾、孤、细酸、曳刺。

这六类角色之中，分类方法并不严格，也不一致。前三类是以人物性别或类型划分，第六类却是以人物的身份划分。其中的“外”，扮演中年或老年人物，实际可以归入“末”的一类。“丑”在北杂剧中偶尔出现，可能系刊刻之误。“杂”为杂七杂八角色的总称，并非角色类别。所以，元杂剧中按人物类型划分的角色只有“末”“旦”“净”三大类。

末扮演正面男角色。正末为末本主角，如《汉宫秋》中的汉元帝由正末扮演。冲末、外末和副末都是剧中的男配角，小末扮演介乎儿童与成人之间的青年男子。

旦扮演正面女角色。正旦为旦本主角，如《救风尘》中的赵盼儿由正旦扮演，在末本戏中，正旦有时也为仅次于正末的女主角，如《汉宫秋》中的王昭君。副旦、外旦、贴旦扮演剧中的女配角，多饰演年轻已婚女子，小旦则饰演未婚女子，老旦饰老年妇女，搽旦饰轻佻、泼辣、插科打诨或邪恶性格的女子。其他如大旦、二旦是在两个女配角同时出现时的区别标志，并非角色类型。

净大多扮演反面人物或滑稽角色，男女均可扮演，如元刊《薛仁贵衣锦还乡》中的张士贵、《赵氏孤儿》中的屠岸贾都是净。顾曲斋本《绯衣梦》中有“净旦”出现。副净和外净都是次要角色，二者之间也没什么实质性区别。

在元杂剧中，有些次要角色之间的细微差别不易弄清，如外末和副末之间，副旦、外旦、贴旦之间，都不易说清其严格的划分。尤其杂类角色，有的以人物身份命名，如邦老（强盗）、孛老（老头儿）、驾（帝王）、孤（官员）；有的以职业特点命名，如货郎旦、师婆旦；还有的竟以装束特征来命名。可见，元杂剧的角色分类也有其不够严格的方面。在具体规定角色时，元杂剧中也出现复杂的，甚至混乱的情况，如《货郎旦》中的“孤”（拈各千户）由冲末扮、《杀狗劝夫》中的“孤”（王翛然）由外扮、《勘头巾》

中的“孤”（大尹）用净扮……这里的“孤”就不是代表一类角色，而只是“官员”的别称。又如《金线池》中的“卜儿”（杜母）由搽旦扮、《秋胡戏妻》中的“卜儿”（秋胡母）由老旦扮、《合汗衫》中的“卜儿”（赵氏）用净扮、《云窗梦》中的“卜儿”（郑月莲母）用冲末扮……在这种情况下，“孤”“卜儿”等并不标示人物身份，其身份或性格特征要靠扮演的具体角色来显示。

从《青楼集》及其他史料笔记的记载中，可以知道元杂剧的演员，男、女都有，扮演上也并无定制：男、女演员都可以装扮男、女角色，一个演员可以兼演两个行当的角色，如净行兼演搽旦；相反，有些人物还可由不同行当的角色扮演。

从文学剧本上看，所谓“角色”，不过是给剧中人物归纳类型，但实际上，这种归纳本身，已经包含了作者对于剧中人物性格所做的规定，因为元杂剧角色分类中，已经有若干对于人物性格区划的因素在内。比如同为女配角，若标明是“小旦”，当是个活泼伶俐的小姑娘，若标明是“搽旦”，这个人物则或轻佻，或泼辣，或滑稽，或恶毒，有点像反派角色了。比如同为男配角，若作者选定以“小末”扮，说明这个人物是尚未成年的男子，年龄介乎“俫儿”和“末”之间；而若要求以“净”扮，则人物应当是反面滑稽角色。

元杂剧表演的虚拟性和程式性，在文学剧本中也有所体现。

与南戏一样，元杂剧也是通过表情动作来表示时间和空间及其变化的。因为中国舞台是开放式的，又无实在的布景，时空的转换，不能依赖落幕以及更换布景来显示。例如《西厢记》二本四折听琴的情节，为了试探小姐的心思，红娘出主意，让张生晚间趁小姐烧香之际弹琴试探。红娘走后，张生就焦急地等待夜晚降临。具体表演是：

〔末上云〕红娘之言，深有意趣，天色晚也，月儿你早些出来么。〔焚香了〕呀，却早发擂也。呀，却早撞钟也。〔做理琴科〕……

这里张生说“天色晚也”表示已到晚间，然后做“焚香”的动作，再用说白交代时已“发擂”（指起更打鼓），又到“撞钟”时节，然后做“理琴”的动作，就算是到了小姐“烧夜香”的时候了。舞台上不过几个动作、几句独白，就表示时间已从傍晚到了深夜。又如《窦娥冤》第一折：

……我往城外赛卢医家索钱去也〔做行科云〕蓦过隅头，转过屋角，早来到他家门首……

蔡婆住山阳县城内，赛卢医住在城外，演员在台上走了几步，转了两个弯子就从城里到了城外。

这里时间的推移和地点的变换，以及《单刀会》中的乘船，《救风尘》中的坐车，《黄鹤楼》中的上、下楼，武戏中的骑马对阵等等，都用虚拟动作来表示。虚拟化表演的确立，使小小舞台变成了人物随心所欲的大千世界。这种表演方式应当是戏曲作者与艺人的共同创造。在文学剧本上，它靠科介的标明和角色的说白等加以显示。

程式化是指表演的格式和它所代表的意义约定俗成的相对稳定性，比如文官升堂的“排衙科”，其程式大体上先是“咚咚衙鼓响”，然后“抬书案”“公吏两边排”，接着“喏喏报连厢”亦即“喊堂威”，最后官员就座审案。作者写剧本时，标明“排衙科”，就意味着有这么一套内容，而观众看到这一套表演时，就知道这是代表文官升堂了。

许多科泛表演，被赋予了特定的意义而且构成固定的程式，如翻筋斗表示打斗激烈、打口哨表示不正派作风等等。虚拟化和程式化的表演，作为一种特殊的艺术表现方法，在元杂剧中已经完备了。

月满则亏。北杂剧四折一楔子、旦本、末本的严谨、整饬的艺术形式在另一情况下，也会转化为拘板的弱点，因而束缚了它本身进一步发展和突破。虽然为了增大可塑性，北杂剧也有变通的作品出现，如《赵氏孤儿》《降桑椹》拖到五折，《西厢记》长到二十一折，《西游记》延展到二十四折，《升仙梦》也试用生、旦对唱等形式，但这些局部调整和变化，终未能改变北杂剧在艺术形式上整体的严格规范。

北杂剧南下以后，这种规范在适应另一种地域文化上，就更暴露了它缺乏更大灵活性的弱点：语汇有差，语音各异，观众的审美情趣也发生变化，演出与观众之间的默契和呼应减弱了……北鄙杀伐之音离开了燕赵豪侠之地，就在温柔富贵之乡中慢慢地凋零了。

四　中国戏曲的高峰

如果说元杂剧曾以开阔的思想内容和完善的艺术形式在北方风靡百年，称雄一代，那么应当说明传奇是荟萃了南戏和北杂剧的精华，以更优美的歌唱和舞台表演，取代了北杂剧的盟主地位。传奇这一艺术形式在戏曲史上维持的时间比较长久，从明初一直到清代乾隆时期，才逐渐为地方戏所取代。

说明代传奇是我国戏曲发展史上的高峰，是基于两方面的事实。第一，明传奇是以南戏为基础，吸取了北杂剧的优长，形成了一个不受地域限制的、流布范围几乎遍及全国的新的艺术形式。第二，创作上和舞台实践上的积累，以及对这些经验所做的理论总结（表现在戏曲艺术论著的出现），使明传奇的艺术发展达到一个新的高度。

明传奇思想和艺术上的高峰，是在嘉靖、万历前后到来的，而从明初到嘉靖之前的一百多年间，明代戏曲还经历了一个沉寂的阶段。这种沉寂的原因，既由于艺术革新、进展所必需的酝酿准备，也由于明初统治者对戏曲过于“重视”和干预。明初的帝王和藩王们都喜欢戏曲，明太祖朱元璋虽然并不具备艺术气质，但他出于对教化的重视，对南戏《琵琶记》却表示过特别的褒扬。徐渭《南词叙录》记载明太祖曾说：“五经、四书，布、帛、菽、粟也，家家皆有；高明《琵琶记》，如山珍、海错，贵富家不可无。”并令优人进演时，被以弦索，加入北曲，十分珍爱。

朱元璋第十七子宁献王朱权、周定王长子周宪王朱有燉都雅好杂剧，永乐帝为燕王时，杂剧作家贾仲明、汤舜民、杨景贤都受到宠遇。可见朱明王室于北杂剧和南戏并无畛域之见，二者的兴衰主要决定于它们自身消长的规律。明朝统治者对戏曲的重视，具有明确的政治目的，这给明代戏曲的发展，也带来消极的影响。朱元璋对《琵琶记》的钟爱及同时颁布“娼优演剧，除神仙、义夫节妇、孝子顺孙、劝人为善及欢乐太平不禁外，如有亵渎帝王圣贤，法司拿究”（《洪武二十二年三月二十五日榜文》）的禁令；朱权《太和正音谱序》中“讴歌鼓舞，皆乐我皇明之治”对戏曲维护政治统治的要求；朱有燉杂剧表现的粉饰太平和宣扬封建道德的思想倾向，都证明了明朝统治者试图将戏曲作为思想文化控制的手段之一，十分看重戏曲的政治功利目的。最高统治者对戏曲的偏好，使一批文人儒士也开始垂青于戏曲创作。官方的臧否、控制和引导，八股文风的泛滥，非常迅速地诱发了戏曲创作中的“道学风”和“时文风”的盛行。

“道学风”指的是从伦理说教和社会政治功利出发的创作意图，以及作品表现出来的图解封建政治、道德教条的倾向。“时文风”指以作八股文的陋习来写戏曲，炫耀才学，使戏曲陷入陈词滥调之中。它与“道学风”互为表里。

道学风和时文风的盛行，使明代戏曲创作出现了一个多世纪的不景气。《伍伦全备记》《香囊记》等作品很可以说明明初传奇创作的萎靡不振。

这种沉寂局面，到了嘉靖、万历间，才出现了变化。这个转机的出现，与16世纪明代社会经济与意识形态领域的变化几乎是同时发生的。一般认为嘉靖、万历年间，中国社会内部在经济上出现了资本主义因素的萌芽，思想界则出现了对抗程朱理学的“反传统”的思潮和富有叛逆精神的异端情绪。在戏曲史上，这是一个十分重要的时期：徐渭的《四声猿》杂剧、《宝剑记》《鸣凤记》《浣纱记》《牡丹亭》等传奇，都以新的思想光彩和艺术创新的成果，呈现在人们面前。

在艺术形式方面，适应着戏曲对表现更加复杂的社会生活和作家思想感情的需要，适应着对人物性格更加丰富的表现的需要，北杂剧和南戏开始向着传奇转化。

南戏四大声腔与昆弋争胜

宋元时代，当杂剧在北方迅速地酝酿成熟、雄踞一方、红极一时的时候，南戏也悄悄地在南方站稳了脚跟。元末高明的《琵琶记》问世，就标志着南戏彻底摆脱了《张协状元》时代的幼稚状态，在艺术上显示了它的成熟。它的两条线索交错发展的艺术结构的成功，虽来自《张协状元》的模式，但运用上更加自如协调，形成一种新的格局。它在人物的心理描写等方面，也不复是《张协状元》式的粗粝，而更趋于细腻。它的曲文的富于文采和语言的性格化，也摆脱了《张协状元》等过于俚俗的状态。《琵琶记》的出现，除了提高南戏在观众心目中的地位之外，还唤起许多文人的兴趣。因此，说“琵琶为南戏之祖”，并非说南戏创始自《琵琶记》，而是说《琵琶记》是南戏发迹之始，是南戏发展史上的第一个里程碑。

具有宽泛、松散形式特征的南戏，相对严谨而周密的北杂剧来说，几乎可以算是不叶宫调、不讲节奏、荒腔走板、不成方圆的。但这种特质所带来的可塑性、适应性，使南戏极易落地生根、兼收并蓄乃至于引起艺术上的变革。正因为如此，南戏从宋元到明初，才会在四大声腔的发展中发展，也才会有明代传奇的大盛。

宋元南戏在温州初生时，用温州方言演唱，传到杭州时，用吴浙之音，它吸收各地语言和音乐的能力相当强。据记载，宋元至明嘉靖前，南戏在我国南部流播四方，形成了色彩纷呈的四大声腔并列竞争的繁荣局面。这就是海盐、余姚、弋阳和昆山四大声腔。

明人陆容《菽园杂记》载成化年间，“嘉兴之海盐、绍兴之余姚、宁波之慈溪、台州之黄岩、温州之永嘉，皆有习为倡优者，名曰戏文子弟，虽良家子不耻为之”。永嘉杂剧始于北宋末，至成化年间已有三百年的历史，而海盐腔和余姚腔倒可能都是元末或入明以后才兴盛起来的。

海盐腔采用南戏的曲牌联套体结构，行当分生、旦、净、末、丑。演唱时不被管弦，采用官话，特征是有“滚调”唱法（即在曲词的前、后或中间，加入一些接近口语的韵文或便于诵读的短句，使曲词浅显易懂），以拍为节，腔调柔婉，“体局静好”，故为士大夫所雅好。

余姚腔也采用南戏的曲牌联套体结构。角色行当分生、旦、净、末、丑。演唱时只用鼓板，不用管弦。特点是文辞通俗易晓，不断吸收当地的歌谣小曲，也用滚调唱法。由于余姚腔以“俚词肤曲”赢得世俗百姓的欢迎，所以士大夫深以为鄙。

弋阳腔简称“弋腔”。是宋元南戏流传到江西弋阳后，与当地方言和民间音乐结合，并吸收北曲演变而成，最迟在元代末期它已出现，明初即已很活跃了。弋阳腔上承南戏传统，采取曲牌联套体结构，角色也分生、旦、净、末、丑。演出时以锣鼓节制，并无管弦伴奏。

昆山腔简称“昆腔”，是宋元南戏流传到昆山一带后，与当地方言和民间音乐结合的产物。又有昆山音乐家顾坚的改进，熔北曲和弋阳、海盐诸腔于一炉，“发南曲之奥”（《南词引正》），形成缠绵优美的音乐唱腔，为士大夫所推崇。

这四大声腔应当算是南戏声腔的四大流派，在体制上仍为南戏旧制。它们的出现时间先后不一，但兴盛大抵都始于元末明初，到明代中叶时，四大声腔的流布范围已相当广泛。如成书于嘉靖三十八年的《南词叙录》中记载：

今唱家称“弋阳腔”，则出于江西，两京、湖南、闽、广用之；称“余姚腔”者，出于会稽，常、润、池、太、扬、徐用之；称“海盐腔”者，嘉、湖、温、台用之。惟“昆山腔”

止行于吴中，流丽悠远，出乎三腔之上。

在这四种声腔中，海盐、昆山以高雅、婉丽、缠绵著称，颇得文人士大夫的青睐；而余姚、弋阳又以通俗易懂为其特点，深得世俗百姓的喜好。由于可以断为是刊刻于嘉靖之前的属于四大声腔的剧本未能流传至今，四大声腔在上承宋元南戏旧制的前提下，在体制上究竟都有哪些变化，就不易说清了。但四大声腔的流布，无疑是从南戏到传奇的一个必经的重要环节。

四大声腔各自产生的具体时间不易确定，但流行和兴盛的时间约在成化至嘉靖年间。嘉靖之后，昆山腔经过改革，逐渐崛起，弋阳腔以它的易变性和通俗性获得了更多的群众。一个不断在艺术上提高完善，一个则得到更大范围的普及，形成了昆弋争胜的局面。伴随着这一局面的形成，余姚腔和海盐腔就逐渐销声匿迹了。昆弋争胜的局面持续的时间相当长，一直到清代康熙年间，仍然方兴未艾。它们一个征服了上层文人士大夫，一个占领了广阔的民间，不仅使余姚、海盐腔难以生存下去，而且挤垮了北杂剧。

昆山腔、弋阳腔能够迅速地发展和繁盛，与它们所处的地理环境及当时的社会状况有密切的关系。昆山腔兴起于昆山一带，早期流传于苏州、松江以及杭、嘉、湖地区。这个区域自明初以来商品经济有了明显的发展，因为这一带是江南丝织业和棉纺织业的中心，苏州、松江两府又是漕运要津，经济发达，交通便利。经济的发达，促进了苏州、昆山一带的文化，尤其是包括戏曲在内的市民文化的繁荣。弋阳腔最早形成和流传、变化于广信府的弋阳以及饶州府、徽州府、池州府、太平府，即今天的赣东北和皖南一带。这一地区是江南造纸业和制瓷业的中心，官窑、民窑遍布各地。商业经济的繁荣，城镇的发展，市民阶层的扩大，产生了对文化娱乐的要求，而商路即戏路自古而然，无论是文人士大夫参与经营的昆山腔团体，还是民间的弋阳腔班社，都是有赖于工商业繁荣的城镇而存在的。

昆山腔和弋阳腔的发展、繁盛，还与这些地区的传统民俗风气有关。昆山腔的故乡昆山太仓，自元代建州以来，就有每年四、五月在街上立高台，集优人扮演台戏、狂欢终日的民俗，许多戏曲班社都常聚集演出。元末顾阿瑛在此建玉山草堂，与众多文士唱和往来、征歌选舞，影响所及，至于昆山腔的产生。顾阿瑛为江南有名的文人，又是聚资累万的大地主，他与顾坚等都过从甚密。一般认为昆山腔的出现，与顾阿瑛等文人嗜尚词曲有关。昆山腔形成以后，文人士大夫又热衷于讴歌制曲，醉心于对南戏的改革。昆山“新声”一出，士大夫们就“靡然从好”，表现了一种追新求异的意向。另外，昆山腔流行的松江府，一般士民对戏曲也有特殊的嗜好和颇高的要求。据明代范濂《云间据目钞》记载，“戏子在嘉隆交会时，有弋阳人入郡为戏，一时翕然崇高，弋阳遂有家于松者。其后渐觉丑恶，弋阳人复学为‘太平腔’‘海盐腔’以求佳，而听者愈觉恶俗。故万历四五年来遂屏迹，仍尚土戏。近年上海潘方伯，从吴门购戏子颇雅丽，而华亭顾正心、陈大廷继之，松人又争尚苏州戏……”苏州戏亦即昆山腔，可见松江人，尤其是文人士大夫对戏曲的爱好和选择，也成为昆山腔变革、发展的直接动力。

弋阳腔发展繁荣的机缘，则与昆山腔有所不同。它主要不依赖于文人雅士的扶植和提倡，而主要依靠它深入民间、灵活应变和吸收能力强的特点进行发展。弋阳腔最初土生土长于民间，扎根于下层市民乃至农民之中，很少有文人“下顾”弋阳腔的创制和改造。因此它的形式质朴、古拙，风格泼辣、刚健。它吸取民间歌曲、土腔土调，并予以即兴发挥。在演出时，经常发扬“改调歌之”的优长，移植其他非弋阳腔的合适剧本。戏班子走南闯北时，还常变换所使用的方言，入乡随俗，随机应变。演出时，又常常囊括了各种杂耍伎艺，使表演呈现出生动、活泼、自由、富于生命力的特点。在这方面，它与既少得到文人扶植和青睐，本身又缺少应变能力的余姚腔、海盐腔相比，自然占据了竞争中的优势。

在经历了明代初期戏曲的衰败之后，到了明代中叶，昆山腔开始称雄戏曲舞台，并长久地居于领袖地位，在艺术上一直表现出对戏曲的其他品种居高临下的气度。昆山腔这种地位的确立，有赖于从顾坚、魏良辅到梁辰鱼、汤显祖、沈璟等几代艺人和文人的努力。先是有艺人从歌唱和舞台表演入手进行改革，以迎合时人的审美趣味。后有文人苦心经营，于音韵格律、文辞剧情上斟酌推敲，发挥戏曲体制的优势，致使昆山腔戏曲蔚为大观。

一般认为，昆山腔在海盐、余姚、弋阳三腔之后，起于元末明初之际。当时南戏传到昆山一带，吸收当地语音和民间音乐，形成所谓昆山腔。魏良辅《南词引正》说：

> 元朝有顾坚者，虽离昆山三十里，居千墩，精于南词，善作古赋……与杨铁笛、顾阿瑛、倪元镇为友，自号风月散人，其著有《陶真野集》十卷、《风月散人乐府》八卷行于世。善发南曲之奥，故国初有昆山腔之称。

音乐家顾坚是第一个对南曲声腔进行改造的人。这里所说顾坚“善发南曲之奥”，使昆山腔得到提高，是可信的。但说因了顾坚的贡献，才有昆山腔，可能言过其实。因为一种声腔的产生，远非一人所能力致，何况顾坚究竟是以创作新的曲调，还是以歌唱来“发”南曲之“奥”都不得而知。

二百年后的嘉靖、隆庆年间，谙于南北曲的太仓人魏良辅与素工弦索的河北人张野塘、苏州洞箫名手张梅谷、笛师谢林泉等，从清唱入手，对昆山腔的音乐结构、演唱艺术和伴奏都进行了大幅度的革新。

首先在曲调运用上，工于北曲的魏良辅将北曲严于格律的长处引入南曲，使南曲“随心令”的民间风格得到提高。其次，在唱法上，进行了精细的研究，取法海盐腔“体局静好”的优点，发挥昆山腔“流丽悠远”的长处，讲究“转喉押调”“字正腔圆”“曲情理趣”，大大丰富了声情的内容。第三，在音乐伴奏上，此前的三大声腔都不被管弦，弋阳腔“其节以鼓，其调喧”（汤显祖《宜黄县戏神清源师庙记》），余姚腔只用鼓板，海盐腔以拍板为节，也就是说这三大声腔都是“不入管弦”（杨慎《升庵诗话》）的清讴干唱。魏良辅和他的同道们将管乐、弦乐引入南曲，与鼓板互相协调，集南北曲音乐伴奏之所长。徐渭《南词叙录》云：“今昆山以笛、管、笙、琵按节而唱南曲者，字虽不应，颇相谐和，殊为可听，亦吴俗敏妙之事。”改革以后的昆山腔“尽洗乖声，别开堂奥，调用水磨，拍捱冷板，声则平上去入之婉协，字则头腹尾音之毕匀，功深熔琢，气无烟火，启口轻圆，收音纯细”（沈宠绥《度曲须知》），一改南戏“讹陋”之病。

由于宋元南戏的腔调，今天已不复存在，我们无法具体感受其“讹陋”到什么地步，因此，也不易充分估量魏良辅对唱腔改革的贡献，但从后人奉他为“昆腔之祖”（沈宠绥《度曲须知》）来看，从昆山腔革新之后，在歌坛上引起的轰动和在士大夫中间引起的注意来看，这次革新显然是非常重要的。

昆山腔戏曲始于梁辰鱼的《浣纱记》是一个公认的说法。一般认为梁辰鱼最早将昆山腔“新声”应用于传奇。明人张大复《梅花草堂笔谈》在言及魏良辅改革昆山腔后谈道：“梁伯龙闻，起而效之，考订元剧，自翻新调，作《江东白苎》《浣纱》诸曲。”梁辰鱼在《浣纱记》中究竟如何采用并发扬光大了魏良辅对昆山腔的改革成果，我们可以从明人的记载中寻找到一些了解的线索。

沈德符《顾曲杂言》云：

《浣纱》初出时，梁游青浦，屠纬真为令，以上客礼之，即命优人演其新剧为寿。每遇佳句，辄浮大白酬之，梁亦豪饮自快。

看来，《浣纱记》以其文辞不俗为时人所赏。

陈去病《五石脂》云：

梁辰鱼者，字伯龙，亦昆山人，以例贡为太学生。好轻侠，善度曲，啭喉发响，声出金石，能得良辅之传，尝著《浣纱记》传奇，梨园子弟争歌之。

可见《浣纱记》以其曲调优美为艺人所喜。

徐复祚《三家村老委谈》：

梁伯龙辰鱼作《浣纱记》……不装八宝，不多出韵，平仄甚谐，宫调不失，亦近来词家所难。

可见《浣纱记》以其声韵、格律上的合于法度赢得声誉。

王骥德《曲律》言："今乐则先有律而后有词，故各曲句之长短、字之多寡、声之平仄……各宫各调，部署甚严。"这种严格的规矩和部署在宋元南戏中并不存在。可以说梁辰鱼的功绩首先是在《浣纱记》中确立了这种“新声”的格律。其次，梁辰鱼本人又是能歌善唱的音乐家，“其教人度曲，设大案西向坐，序列左右，递传迭和，所作《浣纱记》，至传海外”（徐又陵《蜗亭杂订》）。他不仅师承魏良辅，而且自翻新调，“艳歌清引”“谱传藩邸”（张大复《梅花草堂笔谈》），自是把“清柔婉折，一字之长，延至数息”（顾起元《客座赘语》）而且低回婉转，一唱三叹的昆山腔腔调的优势，发挥到了极致。再加上梁辰鱼的优雅文辞，魏氏改革后丰富的音乐伴奏，《浣纱记》就呈现出与文辞朴拙、格律幼稚、音乐伴奏单调的宋元南戏不同的、令人耳目一新的面貌。

《浣纱记》的出现，约在隆庆年间，它的出现可以作为一个标志，从此，作家辈出，作品纷呈，很快促成了昆山腔创作和演出的全盛时期。

这个全盛时期从嘉靖、万历前后一直持续到清代乾隆中叶，大约有二百余年时间。这就是我们所说的中国戏曲史上的高峰。之所以如此说，其具体标志有三：一是出现了一大批有相当水平的作家和作品；二是出现了汤显祖和沈璟带来的创作高峰；三是出现了戏曲理论的繁荣。

继《浣纱记》之后，不少和梁辰鱼一样关心时事政治的作家，写出了许多在不同程度上具有进步社会意义的传奇作品，代表了这一时期创作的主流，如李开先的《宝剑记》、王世贞（？）的《鸣凤记》、张凤翼的《红拂记》、周朝俊的《红梅记》等等，这些作品或以时事入戏，反映现实政治斗争；或以历史为题材，寄托感慨；或取事于传奇小说，发微烛隐；或改编元人杂剧，另立新意。这一时期的主要作家还有屠隆、汤显祖、沈璟、顾大典、卜世臣、吕天成、王骥德、史槃、梅鼎祚、徐复祚、孙钟龄、陈与郊、叶宪祖、冯梦龙、吴炳、孟称舜、袁于令、阮大铖、沈自晋……以及李玉、朱佐朝、叶时章、毕魏、邱园等苏州派作家群。仅仅上述作家的传奇作品，就有二百二十余种之多。

这些作家，大多精通音律，甚至自己可以歌唱，乃至粉墨登场，有人还兼擅戏曲理论的研究。除了以李玉为首的苏州昆山腔作家群之外，大多是有较高修养的文人学士或封建官吏。他们参加创作，不仅巩固、发展了魏良辅、梁辰鱼的改革成果，而且对昆山腔传奇的艺术特征从理论上予以了总结。

汤显祖和沈璟都生活在嘉靖、万历年间。二人在戏曲理论上见解不同，艺术倾向也各异，他们分别代表了这一时期两种主要的创作追求。

汤显祖的作品首先显示了以“情”反理，要求个性解放的进步思想。汤显祖所歌颂的杜丽娘和柳梦梅的深挚情感，既非一般儿女之情，又非寻常风流韵事，而是“情不知所起，一往而深，生者可以死，死者可以生”的至情。不论从作家的创作意图，还是从社会思潮的背景上看，都与以程朱理学为基础的封建道德观念处在对立地位，因此，《牡丹亭》在思想意义上比同时代的爱情剧高出一筹。《牡丹亭》在艺术上也取得极大的成功——人物的个性化和性格特点的鲜明生动、人物心理活动的细腻和具有层次、语言的典丽和精练，都非寻常之作可以比拟。

汤显祖在戏曲理论方面有自己的主张，他以为“凡文以意、趣、神、色为主，四者到时，或有丽词俊音可用，尔时能一一顾九宫四声否？如必按字摸声，即有窒滞迸拽之苦，恐不能成句矣”（《汤显祖诗文集·答吕姜山》）。他强调了“神髓”重于声律的观点。但是，汤显祖又并非完全不谙音律，或完全无视格律在艺术表演中的重要性。他自己的作品，一向注意对曲牌、音乐的揣摩驾驭，显示了他对歌唱和音乐的极高造诣。他作有“徵角清吟齰不辞，恐缘微细得参差”（《汤显祖诗文集·病齿笑答》）、“为道曲名灯下见，唱来还是隔帘听”（《汤显祖诗文集·闲云楼五日》）的诗句，说明他并不是一个无视格律、不懂剧场表演的作家。但是，他对昆山腔格律的掌握，的确存在一定的距离，这在他的作品，特别是在《牡丹亭》中可以看到。《牡丹亭》存在有乖昆山腔法度、不合昆山腔格律的情况，可能与他的作品最初是由宜黄的海盐腔演员演出的情况有关。不过，汤显祖又确实希望自己的作品能由昆山腔演员搬演。因此，当他听说声律学家王骥德批评他的《紫箫记》短于法度时，他心悦诚服地说："良然……当邀此君共削正之。"（王骥德《曲律》）他还曾经不无遗憾地感叹："不佞生非吴越通，智意短陋，加以举业之耗，道学之牵，不得一意横绝流畅于文赋律吕之事"（《汤显祖诗文集·答凌初成》），为自己未能了然于昆山腔律吕之事感到惭愧。但是，对当时剧坛上存在的把音律重要性强调到极端的风气，汤显祖却不能接受。

说到底，汤显祖的创作，终于成为昆山腔演唱的剧目，而且对于明代中期传奇的鼎盛局面起着推波助澜的作用。如沈德符所说，"汤义仍《牡丹亭梦》一出，家传户诵，几令《西厢》减价"（《顾曲杂言》）。吕天成推崇汤显祖是"绝代奇才"和"千秋之词匠"（《曲品》）。王骥德赞扬"《还魂》妙处种种，奇丽动人……至《南柯》《邯郸》二记，则渐削芜颣，俛就矩度，布格既新，遣词复俊，其掇拾本色，参错丽语，境往神来，巧凑妙合，又视元人别一溪径，技出天纵，匪由人造"（《曲律》）。他们都肯定了汤显祖剧作在结构布局、语言运用、意境神韵上都符合传奇法度的杰出成就。虽然汤显祖没有对传奇体制的构成和创新做出贡献，但他以自己的从内容到艺术都极其完美的创作，以这些作品演出时产生的荡人魂魄的艺术力量，使明代传奇这一戏曲文体生色生光。

沈璟是吴江人，居家潜心研究词曲三十年。针对明初出现的卖弄学问、搬用典故、不谙格律等不良创作倾向，沈璟提出"合律依腔"和语言上"僻好本色"的主张。沈璟自己创作传奇有十七种之多，但稍有名气并体现了他的创作主张的，仅《义侠记》而已。他如《红蕖记》虽然严守格律，但内容不脱才子佳人老套，而且字雕句镂，可与明初骈丽派比美，与"僻好本色"的主张自相抵牾。其他诸作，也不见佳。无怪王骥德批评他的创作"出之颇易，未免庸率"，"吴江诸传如老教师登场，板眼场步，略无破绽，然不能使人喝采"（《曲律》）。使沈璟可以自成一家，能与汤显祖争霸一时，并使吴江派能够郁然而为曲界一大势力者，在于他的戏曲理论的精密。沈璟于行腔用字、宫调格律有极深极细的钻研，并以《南九宫谱》和《十三调谱》为基础，增补新调，严明平仄，分别正衬，考订讹谬，有时还注明唱法，编纂成《南九宫十三调曲谱》以为规范。这是一部集南曲传统曲调大成，格式律法详备、音韵平仄详明，作法与唱法相兼的曲学文献。此谱一出，“海内斐然向风”（《曲律》），衣钵相承，成为后世曲家的“金科玉律”。

汤氏脍炙人口的创作和沈氏严谨系统的曲论，在传奇的黄金时代，树立了“曲意”和“曲律”两个方面的最高标准，成为当时创作者心悦诚服的追求目标。有了这两个目标，时人才唾弃了明初那种崇尚骈丽靡缛、脱离舞台实践的案头剧的不良风气。

弋阳腔在明、清两代都是与昆山腔双峰并峙的一大声腔剧种。弋阳腔与昆山腔不同的是，它始终不顾及文人高士的口味，不在文辞、声韵上争奇斗胜，却瞩目于当地普通观众的喜好和需要，不断地改善自身的形态，突破包括最先遵循的曲牌联套体在内的许多束缚，获得热烈的活力。它广泛地流布于民间，成为下层百姓喜闻乐见的艺术形式。

弋阳腔又称“高腔”。这一名称，倒是概括了它的一人启口，数人接腔的歌唱方式和以锣鼓节制、其调喧闹的伴奏方式造成的铙鼓喧阗、唱口嚣杂的特点。这种歌唱、伴奏方式的形成，应当说与它在通衢野外的演出环境有关。

弋阳腔与着眼于雅致婉转的昆山腔不同，它更多地继承了南戏疏于音律的传统，又在流布中不断衍变，向着更自由的方向发展。明初至明中叶的百年之间，弋阳腔已经遍布今之安徽、浙江、江苏、湖南、湖北、福建、广东、云南、贵州、北京，并在各地方言、习俗和欣赏趣味的差异中，发生了变化，衍变为乐平腔、徽州调、青阳腔、四平腔、义乌腔、太平腔等等。

万变不离其宗，弋阳各腔虽变态百出，却仍有共同的特征与风格。首先，弋阳腔继承、发展了早期南戏演唱时“随心令”和“顺口可歌”的民间艺术创作传统，具有“向无曲谱，只沿土俗”（李调元《剧话》）的特点。这使得艺人在演出中获得很大的灵活性，可以即兴发挥，便于吸收土腔土调，丰富唱腔，取悦当地观众。明代凌濛初《谭曲杂劄》所说“江西弋阳土曲，句调长短，声音高下，可以随心入腔”即是此意。其次，弋阳腔可以不必非用“官话”，每到一地，则采用当地方言，“错用乡语”，因而也就必然地引起音乐变化，形成地方化的声腔。《江西巡抚郝硕复奏查办戏曲》所说的“江右所有高腔等班，其词曲悉皆方言俗语，俚鄙无文，大半乡愚随口演唱，任意更改”的情况，确是事实。也大半正因为此，才使“四方土客喜闻之”（顾起元《客座赘语》）。第三，弋阳腔少有文人参加创作，为了使演出经常有新的戏目，弋阳腔艺人采取“改调歌之”（朱彝尊《静志居诗话》）的办法，移植上演昆山诸腔的现成剧本。“改调”的范围包括对曲调的改变和对曲文的更动。即使最雅气的昆山腔剧本，也可以用加滚的办法，插入起注释作用的韵文、散文，使曲文通俗化。

这三个特点，使弋阳腔具有极强的适应能力，并解决了它在流传过程中遇到的语言障碍和音乐隔阂，同时，还使弋阳腔可以兼采众家的优秀剧作，为己所用。这正是弋阳腔生命力旺盛的原因所在。

明代戏曲创作、演出的长足发展，带来了戏曲理论建树上的热潮。元代北杂剧兴衰一百年的历史，明初戏曲创作的走入歧途，戏曲实践积累的丰富经验及其兴衰嬗变的复杂过程，都使得从理论上进行总结和提高成为必要。自明嘉靖至明末期间，戏曲理论研究论争出现了两次热潮：一次出现在嘉靖、隆庆间昆山腔改革的高潮中，一次出现在万历年间传奇创作的鼎盛时期。这两次热潮之间几乎没什么间隔，但研究侧重和讨论的问题有所变易。

在嘉、隆期间，当时的理论研究着重要解决戏曲的地位问题，这是对明初官方禁毁和篡改戏曲做出的反应。明初朝廷一方面严禁戏曲“亵渎帝王圣贤”，鄙视压制戏曲创作，另一方面又鼓励以戏曲宣扬封建礼教，为皇权统治服务，想把戏曲变成封建教化的工具，而文坛上将戏曲目为鄙俗，不能与居于正统的诗、文相提并论的看法，仍占统治地位。针对这种情况，嘉、隆间的戏曲理论家从追溯戏曲的源流开始，力求为戏曲在文学领域内争得一席地位。徐渭首先肯定了词曲之间的相承关系（见《南词叙录》）。王世贞更从文学体式流变的角度将戏曲的远祖溯至《诗经》：“三百篇亡而后有骚、赋，骚、赋难入乐而后有古乐府，古乐府不入俗而后以唐绝句为乐府，绝句少宛转而后有词，词不快北耳而后有北曲，北曲不谐南耳而后有南曲。”（《曲藻》）李贽更认为：“诗何必古选，文何必先秦，降而为六朝，变而为近体，又变而为传奇，变而为院本，为杂剧。”（《童心说》）戏曲既为正统文学的继续，是诗、词、文、赋之变，那么，它在文学殿堂中，就理应有合法的席位。至于戏曲“功能”，有人强调它具有“言志”写心的特质，比如李贽认为，戏曲与其他文体一样，都是历史发展的产物，只要发自“童心”，就都是天下“至文”，戏曲与更多的人的精神生活相联系，更是可与天地相终始的不朽事业。

嘉、隆间为戏曲“正名”，为戏曲争取合法地位所做的努力，给当时戏曲创作和戏曲理论的全盛，做了必不可少的准备，并开了万历间具有实质性的深入讨论的先河。

万历间出现的著名曲论家有汤显祖、沈璟、潘之恒、胡应麟、徐复祚、臧懋循、吕天成、王骥德等。他们的戏曲理论研究及论争，开始涉及诸如作家、作品、创作过程、流派等广泛的内容。其中，较为集中的，是针对明初以邵灿、邱濬为首的剧作家带来的道学风和时文风所进行的讨论。这个问题关系到当时人们对戏曲创作内容和形式发展方向的不同理解。

明初，官至太子太保兼文渊阁大学士的邱濬作传奇《伍伦全备记》，以敷演迂腐的纲常伦理，并在“副末开场”中明确宣扬“假托”戏文以“传扬”伦理的创作主张。其后，名儒邵灿又作《香囊记》，除内容上效法《伍伦全备记》外，还以作时文的陋习写戏曲，骈四俪六，扭捏作态。他们的创作开了明代戏曲创作中的道学风和时文风的弊端。嘉、隆到万历的有识之士，群起而反对这种有害倾向。徐渭、李贽、汤显祖于抨击道学风最猛，李开先、何良俊、沈璟于反对时文风最力。吕天成、王骥德则对论争中涉及的问题进行归纳总结，并在此基础上，提出了有关传奇创作的富于建设性的主张。

徐渭以为传奇“宜俗宜真”，“俗”是针对雕章琢句而言，“真”则主张“出于己之所自得，而不窃于人之所尝言”（《徐渭集·叶子肃诗序》），反对“经学之谈”的道学气。他强调的“真”，基本点是创作必须“从人心流出”，这与李贽所标举的“童心”说，在实质上是相同的，而与以邱濬的《伍伦全备记》为代表的“道学家派”的创作立场却根本对立。

李贽强调，作者只有从“情性”出发，才能创作出好的作品，切不可以“牵合矫强”，于自然“情性”之外去追求“礼义”。汤显祖并没有什么特别值得注意的系统的理论，他的创作思想、理论主张的表述，也常显得支离破碎。不过，他的创作实践，却对道学派的陈腐观念形成强大的冲击力量，表现了他反道学的基本立场。他主张戏曲创作主要是要“言情”，而不是图解某种伦理观念。这与徐渭《四声猿》中洋溢着的狂傲的反抗精神、《歌代啸》对是非颠倒的社会现象的嬉笑怒骂，同样是针对当时戏曲创作的时弊而发的。

在反对时文风方面，李开先针对当时曲坛流行的虚伪的雕琢流风，提出戏曲要“以金、元为准”，要体正、情真、语俗，力主要用本色语。何良俊明确指出，“填词须用本色语，方是作家”（《曲说》）。这与徐渭“宜俗”主张的意义，同在推重通俗易懂、反对雕镂炫耀。关于戏曲的“本色”的探讨，到沈璟而形成高潮。沈璟宣称“鄙意僻好本色”（王骥德《校注古本西厢记》附《词隐先生手札二通》），胡应麟、徐复祚也是“本色”一派。他们所说“本色”的含义，并不一定完全相同，但在推举朴拙、通俗的语言和与字雕句琢的“案头之曲”相对立，以反对当时泛滥的以时文入传奇的风气上，大家的主张都是一致的。

这些戏曲理论家由于观察问题的角度不尽相同，强调的方面也各有侧重，对戏曲理论的词语、概念的理解、运用也有不一致之处，因而也常发生分歧和矛盾。例如对《琵琶》《拜月》的优劣之辩，对中国戏曲本色的争论，汤、沈之间戏剧观的对峙等。这些争论，有时竟至潮声如沸、热闹非凡。这些争论，正反映出当时曲学研究已蔚成风气了。

万历时期最后的两位戏曲理论家吕天成和王骥德，冷静地总结了前此的争论，对“本色”“当行”等用语的具体内容做了新的解释，而且指出，“倘能守词隐先生之矩镬，而运以清远道人之才情”（吕天成《曲品》）就可达到创作的“双美”极致；戏曲作品“必法与词两擅其极”（王骥德《曲律》），既有内在的情感“风神”，又有个性化的“本色”语言，“才情在浅深、浓淡、雅俗之间”（《曲律》），才能达到戏曲创作的理想境界。他们将汤显祖和沈璟等的观点，加以研究之后，进行了综合和吸收。

至此，戏曲的建树发展到相当的程度，而且，无论是理论上，还是创作实践上，道学派和时文派都已一败涂地。一大批在不同程度上体现了时代要求的传奇作品，无论是在文学的殿堂上，还是在民间的草台上，都站稳了脚跟。理论的努力，对于传奇体制的确立和发展，起到或隐或显的促进和制约作用。

明传奇的体制特征

特指戏曲的“传奇”，是一个与“杂剧”相对应的概念。元代就有人把南戏称为“传奇”，以区别于北杂剧，但比较普遍地把南戏称作“传奇”是明代的事。当“南戏”与“传奇”的说法并存时，一种说法认为明代南戏可以统称为“传奇”，另一种说法认为“传奇”只是指昆山腔兴起以后的剧作，此前的都应称为“南戏”。一般人都采用前一种说法，觉得无须将界限划定得如此拘泥。

明代传奇的前身是宋元南戏。由文字质朴、形式不够严整的南戏，变而成为优美完整的鸿篇巨制明代传奇，经过了一个相当长的发展过程。戏曲为“唱、念、做、打”兼而有之的综合艺术，这一总格局定于南戏，后来的元杂剧、明传奇虽然在声腔上、语言上、风格上、规模上有所变易，但总的来说，戏曲文学的代言体叙事结构，表演的综合性、程式性、虚拟性等都是一脉相承的。

比起南戏来，明传奇的体制逐渐走向严整，在组织结构、音乐构成和语言风格上，都有了很大的进步和改变。这种进步和改变是在南戏的基础上，汲取北杂剧等的优点融合交汇而形成的，而且有了很大的发展。比如南戏《琵琶记》的双线结构，一边描写蔡伯喈入赘牛府大富大贵，一边描写赵五娘侍奉翁姑忍饥挨饿。两条线索交错对比，产生了强烈的艺术效果。明传奇中的许多作品都采用了双线结构，例如李开先《宝剑记》、周朝俊《红梅记》、沈璟《红蕖记》等，都是两条故事线索并行发展：《宝剑记》中以林冲发配和张贞娘拒仇，同时揭示了高俅的恶毒和残暴；《红梅记》中裴禹和李慧娘的爱情与裴禹和卢昭容的婚姻经过相互穿插；《红蕖记》中郑德麟、崔希周与韦楚云、曾丽玉两对情人的爱情故事交错发展，都使传奇的内容更加丰富。当然，并不一定双线结构就优于单线结构，在为数众多的采用双线结构的明传奇中，它们的艺术效果也不是完全相同的。

传奇的曲文以南曲为主，并一反南戏徒取其“畸农市女，顺口可歌而已”（徐渭《南词叙录》）的原始状态，讲究声律音韵。沈宠绥《弦索辨讹·凡例》言：“顾北曲字音，必以周德清中原韵为准，非如南字之别遵洪武韵也。”所谓“洪武韵”即《洪武正韵》，为明洪武时据宋朝通用《礼部韵略》并参用《中原音韵》编纂而成，是为曲韵南派的圭臬。明代戏曲家采用《洪武正韵》不仅因为可以解决南方的方言问题，主要还由于它是顺着诗韵的系统下来的，是明传奇作者的轻车熟路。

明传奇的作者和戏曲家与南戏作者（下层书会才人）、北杂剧作者（沉沦于社会下层的儒生）都有不同，他们的身份、地位都要高贵得多。其中有藩王如朱权、朱有燉；高官显宦如邱濬、李开先、王世贞、顾大典、沈璟、叶宪祖；文坛上知名度很高的文人如潘之恒、胡应麟、徐复祚、徐渭、李贽；书香世家出身及进士举人如吕天成、王骥德、屠隆、吴炳、阮大铖、张凤翼……他们涉足戏曲创作常常是因为乐于此道，并不以此为谋生的手段。比如沈璟、李开先都是中年以后归隐林下，以创作戏曲自娱。这些文人参加戏曲创作对明传奇产生了两方面的影响，一是使传奇体制迅速地规范化，二是使传奇（主要是昆山腔）走向典雅的狭窄胡同。明传奇如果没有具有浓厚的生活气息的俗不伤雅的弋阳腔，作为对更多地受到知识分子审美趣味影响的昆山腔的补充，是不可能形成明代戏曲的高峰的。

明传奇从整体上说，是吸收了南戏和北杂剧的优长。在题材方面，昆山腔更多地继承南戏长于表现人物心理的特点，在爱情、社会问题题材方面有所开拓，形成“十部传奇九言情”的局面。而弋阳腔则以题材的广阔与舞台场面的庞大见长，因而在历史剧、军事斗争题材方面显示了突出的成就。在舞台表演方面，南戏和北杂剧的舞台艺术成就主要还在歌唱上，昆山腔载歌载舞的表演艺术，弋阳腔扑跌翻打武技表演的发展，都标志着唱、念、做、打各种表现手段的高度综合，而在音乐和歌唱上，字少腔多的昆山腔水磨调和字多腔少、一泄而尽的弋阳腔分别发挥了声情和词情的长处。王世贞说："凡曲：北字多而调促，促处见筋；南字少而调缓，缓处见眼。北则辞情多而声情少，南则辞情少而声情多。北力在弦，南力在板。北宜和歌，南宜独奏。北气易粗，南气易弱。"（《曲藻》）当明传奇将南北曲整编合流时，明传奇就显示出了比南戏和北杂剧都要丰富得多的表现力。

明传奇作为一个整体，有其共同的特征。但在这个水系里，昆山腔和弋阳腔始终是两条并行的河流。它们互相有所区别，又有所补充，各有优长，又各具局限，一个雅不绝俗，一个俗不伤雅，映衬、游离、促进、竞争，热闹了好几百年。

下面，从几个方面来介绍一下明传奇体制的主要特征。

（一）组织结构

明传奇一种由若干"出"组成。"出"又作"齣"，指一场或一段，类似杂剧中所谓"折"。与杂剧一本四折不同，传奇多是长篇巨制。在长度上，并无定制，短的有二十七出的《鸾锟记》《袁文正还魂记》，也有长至五十五出的《还魂记》。至于《目连救母戏文》长至百出，万历抄本《钵中莲》短至十六出，当视为例外。一般四十几出的情况较多。

一本传奇往往分为上、下两卷，上卷结束的一出叫“小收煞”，下卷结束的一出（也是全剧结束）叫“大收煞”。上、下两卷内容分量差不多。

传奇一律有所谓“家门”，它或为第一出，或不属各出而作为全剧开端。同南戏一样，也是由副末上场，述明作剧宗旨及剧情大意。与南戏不同的是，这套手续比较简单，一般只有一、二支曲，不再有《张协状元》那么多的花样。这种比较简单的开场程式应当是取法于《琵琶记》。有时，两曲之间还留有副末与“后房子弟”的简单问答，如暖红室本《红拂记》：

第一出：开场始末

〔青玉案〕……

试问后房子弟，今日搬演谁家故事，那本传奇?〔内应〕今日试演一本《李卫公红拂记》。（末）原来这本传奇，听我道几句家门，便见戏文大义。

〔凤凰台上忆吹箫〕……

这格式，应是南戏遗响，在传奇中也算是约定俗成的套子了，因此，有的本子只在应当问答的地方注明“问答照常”（见六十种曲本《红拂记》）。

这副末开场的两支曲，常常在第一支曲中说些对酒忘忧，逢场作戏之类的话，一般称为“上场曲”。第二支曲才介绍剧情，一般称为“家门”。但也有开首即述“家门”者，如《玉簪记》第一出“标目”，只有一支曲〔沁园春〕述说剧情。而如《明珠记》则有“上场曲”两阕——〔圣无忧〕〔南歌子〕，《香囊记》却有“家门”两阕——〔沁园春〕〔风流子〕，种种变化，不一而足。副末临下场时，一般有下场诗四句，当然，也有的剧本，不用下场诗，如《八义记》《种玉记》等。

“家门”的称谓，取义不详，或许是当时戏场的行话，也许是宋金时俗语，因为《辍耕录》中的“院本名目”中就已有“和尚家门”“先生家门”了。对明传奇中的“家门”，各种不同的标目甚多，如“家门大意”“大略”“始末”“始终”“正传”“开场家门”“敷衍家门”“开宗”“标目”“开场”“提宗”“传奇纲领”“梨园鼓吹”“提纲”“统略”“叙传”“标题”“荟指”“首引”“开演”“标引”“提世”等等，标目虽各翻新样，内容主旨都是在于提示剧情梗概。

“家门”之后，便是正戏了。正戏分“出”，每“出”都有标目，标目多为二字或四字，如《千金记》各标目为“开宗”“遇仙”“省女”“励兵”……《鸣凤记》标目为“家门大意”“邹林游学”“夏公命将”“严嵩庆寿”……而如《玉镜台》标目则二、三、四字无定，《醉乡记》用五字标目的情况，实为特例。传奇的出与出之间的安排比较匀称，既相连属，又有间断。正场戏的大出和过场戏的小出安排得当，集中描写的重头戏和承前启后的过场戏互相穿插，形成一个曲折多变的有机整体。

在传奇正戏中，一般第二、三出是“生、旦家门”，分别由生、旦上场，唱引子、念定场白（诗词及四六语）作自我介绍。其他“末”“净”“丑”等角色，视剧情分别先后登场，但也多在前几出就与观众见面了。接着就是“关目上来”——具体剧情开始展开。许多明传奇作品的情节相当类同，经常出现游春、庆寿、家宴、别亲、试学、闺思、议计、赴任、考试、寄柬、离别、自叹、赏秋之类，有时穿插两国交兵、绿林占山、发配远谪，结尾又不出夫妇团聚、一门荣显、表忠除奸、升仙入道的大团圆俗套。

明传奇每出全部角色下场时，照例有一首五、七言绝句的“下场诗”，或是新撰，或为集句。也许为一人念诵，也许几人分读，但也有省略不用的。全剧告终时，必有“散场诗”（或作“卷场诗”），五、七言不定，四句或八句总结全文。偶有例外，是以“曲尾”作总结语，如《鸾镵记》《赠书记》都是。《蕉帕记》比较特别，以〔北煞尾〕〔尾声〕二曲和一首七言四句诗为结尾，二支曲子又绝肖上场曲的口吻：

〔北煞尾〕鼓腹白鸥庄，舒足红梅帐。胸中无别物，曲魔儿时常作痒。不是咱山人夸伎俩，略知些腔调宫商，任闲口，慢雌黄，压着咱则是西厢，琵琶记输些斤两。再难寻通方肚肠，少林拳棒，学咱不知书也打诨闹词场。

〔尾声〕戏编蕉帕成绝唱，那个词人不鉴赏，都道笔底生花不姓江

若耶溪畔单槎仙，懵懂闲忙五十年，四十九年都是梦，醒编蕉帕付梨园。

这种情况比较罕见。可以视为特例。

传奇的各出之间，讲究生旦、长短、冷热场子的合理安排，使场上演出富于变化。它扬弃了北杂剧以音乐为中心、以

套曲为单位构撰剧情的结构，增加净、末、丑的戏，加强宾白和科诨，使整个剧情结构出现灵活多变、丰富活泼的特点。这样一来，除了生、旦之外，其他角色的性格，也得到了充分表现的机会。

（二）音乐结构

明传奇音乐结构的特征是以南曲为基础的南北曲合流，结构的方法仍是曲牌联套体。伴奏乐器比南戏和北杂剧更为丰富。

随着明传奇的发展，北曲曲牌进入南曲的现象愈益增多。北曲节奏较为急促，唱词安排比较密；南曲比较舒缓，曲词安排也较疏；在旋律上，北曲多用大跳（指旋律高下越级跳跃式的演进）进行，南曲则多用小跳（指旋律迂回曲折的顺级进行）；北曲以弦索为主要伴奏乐器，南曲则主要用笛箫。这就形成了北曲刚健粗放，南曲柔婉妩媚的特征。在北曲大量地穿插到南曲中之后，音乐的情调和气氛，都发生了新的改变。明传奇对于北曲的吸收引用有三种方式：一种是采用南北合套。一种是在整出戏中成套地引用北曲的套数。另一种是在大量的南曲中，插入北曲。

南北合套是一种独特的套曲结构形式，由一支北曲与一支南曲交替出现结构而成。宋元南戏《小孙屠》《荆钗记》《幽闺记》和元末明初的北杂剧《升仙梦》中，都已有这种结构出现，其结构的原则是南北曲同属一个宫调。明传奇，特别是昆山腔中，对南北合套的应用比较广泛，而且，这种合套还成为一种表现特定戏剧情境的手段。或表示不同人物的性格区别，或揭示不同人物的不同情绪，《鸣凤记》《浣纱记》《十五贯》中都有成功的例子。特别是《长生殿·絮阁》一场，合套曲牌排列如下：

〔北醉花阴〕（杨玉环唱）

〔南画眉序〕（高力士唱）

〔北喜迁莺〕（杨玉环唱）

〔南画眉序〕（李隆基唱）

〔北出队子〕（杨玉环唱）

〔南滴溜子〕（李隆基唱）

〔北刮地风〕（杨玉环唱）

〔南滴滴金〕（高力士唱）

〔北四门子〕（杨玉环唱）

〔南鲍老催〕（永新唱）

〔北水仙子〕（杨玉环唱）

〔南双声子〕（李隆基唱）

〔北尾煞〕（杨玉环唱）

这一场戏是李隆基暗中与梅妃幽会，杨玉环寻上门来吵闹。凡杨玉环唱腔全用北曲，以突出她的怨恨、泼辣、妒忌、伤心的情绪。李隆基、高力士、永新的唱词全用南曲，以突出他们尴尬、无奈的处境，以及希望息事宁人的心情，这样处理便充分发挥了南北曲各自的声情优势。

在南曲中，突然插入整套北曲，会使情调和气氛都有一个强烈的转折，这种方法在明传奇中也常常被采用。《浣纱记》《鸣凤记》《宝剑记》《长生殿》中都有成功的例子。如《浣纱记》第十二出“谈义”，使用〔北点绛唇〕〔混江龙〕〔油葫芦〕〔天下乐〕〔那吒令〕〔鹊踏枝〕〔寄生草〕〔么篇〕〔赚煞尾〕一套共九支曲，由伍子胥的义兄公孙圣一人唱到底。这一出的剧情是伍子胥向吴王进谏，吴王不听，伍子胥去隐居山间的义兄那里求教，公孙圣对他大谈“烈士殉名，壮夫重气，存为楚国之杰，殁作吴地之英”的道理，故用风格刚健的北曲，“清新绵邈”的仙吕宫曲子来表现，强调了这一出的环境、气氛，与前后各出都不相同。

自由地、任意地引用北曲，更多地出现在弋阳腔中，因为弋阳腔本身对南曲“随心令”的特征继承得更多，在宫调上比较随便。例如《投笔记·匈奴造反》一出，用了六支曲子：〔北点绛唇〕〔北雁儿落〕〔得胜令〕〔北滚绣球〕〔前腔〕〔尾声〕。前四支曲分属于“仙吕”“双调”“正宫”三个宫调，在北杂剧中，这四支曲子不可能组合到一起，但在传奇中，这都是可以做到的。这是以南戏的灵活性原则，熔化了北曲严格的规范。

昆山腔中也有南北曲混用的情况。例如《长生殿》中“骂贼”一出，雷海青唱北曲〔仙吕·村里迓鼓〕〔元和令〕〔上马娇〕〔胜葫芦〕，大骂安禄山和无耻的新贵。后面有安禄山和伪官等唱词，则用六支南曲〔绕红楼〕〔尾犯序〕〔前腔〕〔前腔〕〔扑灯蛾〕〔尾声〕，〔尾声〕有词“大家都是花花面，一个忠臣值甚钱”，嘲讽情调与雷海青的慷慨气氛，恰成对比。

明传奇所用的曲调，比南戏和北杂剧所用曲调数量有很大增加，因为南戏旧有曲调，传奇照旧沿用，沈璟的《南九宫十三调曲谱》就收有南曲曲牌七百多个。后来的沈自晋《南词新谱》、钮少雅《南曲九宫正始》又对沈璟曲谱有所修订、补充，数量就更可观了，这些都为传奇所取用。此外，明传奇又将词调和北曲照宫调的配置尽量收入，开了南北混用的新例。并且，还摘取宫调相邻近的曲调的句子加以重新组织，别立名目，创制新调，这种方法叫作“集曲”或“犯调”。“犯调”不限于北曲或南曲自身内部，南北曲都可相犯。这种种做法使曲牌数量急剧增加，因此蔚成明传奇所用曲调的巨观。

明传奇联套法则与北杂剧不同，它并不死板地要求联套的曲子全属同一宫调，而是笛色相通、调门相近，原则上便可联套。当然，决定选取什么曲子联套的关键，还是要视剧情而定。这种主要行于昆山腔的原则，比起南戏来要有法度，而比起北杂剧来，则又灵活得多了。

弋阳腔的曲牌联套，具有更多的灵活性和随意性。首先，在弋阳腔的曲牌联套里，常大量引入民歌，与南曲曲牌掺杂出现。如《古城记·秉烛》一出，就有民歌〔闹更歌〕与曲牌〔驻云飞〕交替出现。《刘汉卿白蛇记》第三十出由两首〔山歌〕开头。甚至在弋阳腔中还有纯用民歌组成的套曲。其次，在弋阳腔的套曲中，也有既非传统曲牌，又非民歌的〔五言句〕〔七言句〕出现，例如《古城记》第十出和第十二出关羽、张飞出场时，都用整齐的七言四句〔集日句〕〔七言句〕作引子。〔五言句〕和〔七言句〕的出现，是对曲牌联套体的突破，也使其在形式上呈现出多样化。第三，弋阳腔联套曲子在数量上、形式繁简上，有极大的伸缩性。按照一般的规律，一出戏中的一套曲，必须由若干支曲牌组成，但弋阳腔的一套曲子有时可以简化到由一支引子、一个尾声，中间由一支曲子多次重复组成。或有的连尾声也免去了，有时竟连引子也省略了，于是一出戏便只有一曲反复，如《赤松记·游本》即是〔出队子〕一支曲反复六次，《刘汉卿白蛇记》第七出，有四支〔山歌〕递相反复。这些套曲，其实已经不成其为“套”了。

在音乐表现方面，明传奇的歌唱和伴奏都有突出的成就。在这点上，昆山腔和弋阳腔也各自呈现出不同的特点。

昆山腔经过魏良辅等艺术家的精雕细琢，把传统的民族声乐艺术成就向前推进了一步。昆山腔首先认定歌唱是表达语言的艺术，因而讲究咬字的清晰真切：正五音、清四呼、明四声、辨阴阳，都是为了使歌唱让人听清听懂。其次便是讲究演唱中顿挫得体、徐疾有度，“唱出各样曲名理趣”（魏良辅《曲律》），传达情趣和情感，使演唱艺术化、性格化。这一点，是昆山腔取得的突出成就。因为北杂剧只有生、旦才有演唱，不曾在其他角色之间做广泛的尝试，而南戏的演唱艺术，还处于比较粗糙的阶段，到昆山腔，各行角色的性格、唱法才逐渐完备起来。

与此相联系，昆山腔的伴奏，也越过了仅为歌唱击节、和声的范围，它更致力于辅助演唱，并渲染舞台气氛。管弦乐器如笛、箫、笙、琵琶、三弦、月琴，可以对婉丽曲折的生、旦唱腔起到烘托作用；净角戏可用唢呐加入伴奏，表现高亢而雄壮的气氛；而打击乐如鼓板、锣、钹，又可有助于表现发兵、进军、交锋时的浩荡声势。昆山腔的乐器很丰富，配器手法又多种多样，对戏剧中情调、气氛的表现，提供了丰富的可能性。

弋阳腔生长于民间，观众多为农村百姓和城市平民，因此它整个格调倾向于高亢、粗犷，与昆山腔幽静、清雅的风格正好相反。

弋阳腔曲调有字多腔少的特征，重于词情。它不用笛、箫、琵琶、三弦一类管弦乐伴奏，只用打击乐，加以人声帮腔，造成高昂喧嚣的特点。

弋阳腔的歌唱是一人启口，众人接腔，即采用帮腔来加强徒歌的音乐效果，弥补没有管弦伴奏的不足。弋阳腔的帮腔从南戏中普遍运用的合唱演变而成，一般用在一曲之尾。例如《三顾草庐记》中刘、关、张二请诸葛一场：

刘备（唱）〔东瓯令〕怀韬略，抱才德，非子伊谁扶社稷？堂堂义兵非他比，况忝汉宗室？（合）渴时易饮饥易食，望早出，建功勳。

诸葛亮（唱）〔前腔〕耕田亩，自食力，谷粟家贫无担石。草茅素不谙时务，匡救苦无策。（合）年来况又抱羸疾，难以任金革。

关、张（唱）〔前腔〕排国难，救民厄，管取勋名垂竹帛。俺豫州，酷欲安社稷，故此苦相逼。（合）渴时易饮饥易食，望早出，建功勳。

诸葛亮（唱）〔前腔〕居穷巷，隐卑室，恢复神州难致力。鲰生无志功名事，皇叔枉虚席。（合）年来况又抱羸疾，难以任金革。

剧情是刘、关、张竭力相请，诸葛亮尽力推辞，加上反复帮腔，可以突出双方不同的情绪。这里以人声帮腔，也许不及管弦的声情动听婉转，但人声帮腔有词情，可以使戏剧的情节、气氛更为具体和明了，正好从另一个方面加强了音乐的表现力。

弋阳腔歌唱的另一个特点是使用滚调，亦即在联套的曲子当中，穿插以齐整对称的上下句为基本结构单位的滚唱。滚唱唱词长短不拘，放置的位置也较自由。在曲牌之外，加上大段滚调，称为“畅滚”；在曲牌之内，穿插若干句滚唱，也可以叫“加滚”或“夹滚”。例如《投笔记》第三十五出，写班超奉旨回朝，西域百姓送行的场面：

众（白）老爷：小百姓都具得一壶白酒在此，望老爷笑纳几杯，以表众人之情。（唱）〔滚〕酒家今日瓮头开，小人当前把一杯。遇饮酒时须饮酒，老爷千万莫辞推。一杯别酒饯贤侯，老爷呵，正是阳关西出无回首。

这里使用的大段畅滚，并非曲牌，但却是作为独立的曲牌来运用的。畅滚的使用，使曲牌联套的形式发生了变化，而加滚的使用，则是对曲牌本身结构形式的突破，在一支曲牌之中，夹入整齐的上下句，与原有长短句参差错落，形成新的格局。例如《六十种曲》本《琵琶记·路途劳顿》赵五娘有一段唱词：

（唱）〔月云高〕路途多劳倦，行行甚时近，未到洛阳城，盘缠多使尽。回首孤坟，空教奴望孤影。（白）天哪！（唱）他那里谁俙保，俺这里谁投奔。正是西出阳关无故人，须信道家贫不是贫。

《摘锦奇音》中同段唱词在加滚之后，变成下面的样子：

赵五娘（唱）〔月儿高〕路途多劳顿，（滚）劳顿不堪言，心中愁万千，回首望家乡，家乡渐渐远。（唱）行行甚时近。（白）那日起程之际，蒙太公赐我盘费，只说到京尽勾用，谁知出路日久，费用甚多。（唱）未到洛阳城，盘缠都使尽。（滚）离家一月余，行来没了期，回首望孤坟，孤坟在那里。（唱）回首望孤坟，（滚）只见青山不见坟，回头只见影随身，（唱）空教奴望孤影。（白）夫！（唱）他那里不俫倸，俺这里无投奔。（滚）只见往来人似蚁，不见故乡人，（唱）正是西出阳关无故人。（滚）路远甚艰难，水宿与风餐，在家千日好，出路半朝难。（唱）须信家贫未是贫，果然路贫愁杀人。

转引自《中国戏曲通史》中册

在一段简短的唱词中，夹入两倍的散白和五、七言诗结构的滚唱，使曲牌在形式上起了极大的变化，不仅使原来的唱词变得丰富活泼，而且加强了铺叙和强调，使赵五娘的情绪表现得更加饱满。滚唱的运用，还使节奏形式也发生了变化。滚调的五、七字句与长短句的节奏原本不同，歌唱时滚调的流水板以一种急促的节奏出现，在音乐情绪上，创造了一种新的情调和意境。如果说昆山腔以丝竹相助，使其更加悦耳缠绵，那么弋阳腔应当是靠滚唱发扬曲情，使其更加具有感染力。当然，滚调也有的不是严格的五、七言，而是在五、七言的基础上，稍加变化的韵文。

在音乐上，昆山腔与弋阳腔是按照两种不同的审美观点和艺术追求发展起来的。一个在文人手中精雕细刻，一个在民间经历风砍雨削；一个规行矩步，曲谱、剧本都有完美的本子流传下来，明代昆山腔传奇剧本有近千种流传至今（傅惜华《明代传奇全目》收有明代传奇九百五十种，其中绝大部分是昆山腔剧本）；一个曲无成例，栖无定所，入乡随俗，易地则变，流传至今的明代弋阳腔剧本，只有《高文举珍珠记》《何文秀玉钗记》《袁文正还魂记》等十余种。一个由于过于完美而走向凝固和僵化；一个却有极强的生存能力，不断地改头换面，繁衍出新的声腔剧种……

（三）曲文、宾白及表演

很难用简单的语言来概括明代传奇曲文的特色，就语言的角度看来，它是色彩纷呈的。既有汤显祖《牡丹亭》那样丽语参错的作品；又有沈璟《义侠记》那样文辞本色的剧作。李开先《宝剑记》爽朗高昂；梁辰鱼《浣纱记》细腻柔美……但是，明传奇又确与宋元南戏和北杂剧不同，总的来说，明传奇典雅工丽的特征是明显的。

凌濛初说："自梁伯龙出，而始为工丽之滥觞，一时词名赫然。盖其生嘉、隆间，正七子雄长之会，崇尚华靡，弇州公以维桑之谊，盛为吹嘘，且其实于此道不深，以为词如是观止矣，而不知其非当行也。以故吴音一派，兢为剿袭，靡词如绣阁罗帏、铜壶银箭、黄莺紫燕、浪蝶狂蜂之类，启口即是，千篇一律。甚者使僻事，绘隐语，词须累诠，意如商谜，不惟曲家一种本色语抹尽无馀，即人间一种真情话，埋没不露已。"（《谭曲杂札》）

王骥德说："南人工字句……故以色泽胜。"（《曲律》）

富于"色泽"的特征，主要表现在昆山腔中，因为昆山腔作者有相当一部分人是官僚和正统儒生。他们的积习使传奇不可避免地走向案头化和典丽化。虽然以邱濬和邵灿为代表的腐儒雕琢对偶、愚顽酸腐的习气很快受到唾弃，但儒生雅士总难免用写诗作文的习惯去构思戏曲，华词美藻，典重文雅。昆山腔在明代又几乎始终在各种声腔中居于霸主地位，因此，昆山腔的这一特征也似乎成了明传奇的特征之一。

比如《浣纱记》中“采莲”一出：

〔念奴娇序〕（净）澄湖万顷，见花攒锦绣，平铺十里红妆。夹岸风来宛转处，微度衣袂生凉。摇飏，百队兰舟，千群画桨，中流争放采莲舫。（合）惟愿取双双缱绻，长学鸳鸯。

……

（旦）〔前腔〕堪伤，斜日啣山，寒鸦归渡，淹留犹滞水云乡。风露冷，风露冷，怎耐摧颓莲房，凄凉，共簇心多，分开丝挂，浣纱溪伴在何方。

清丽、工整，带有书卷气的典雅格调，是昆山腔诸作者共同的追求。汤显祖、沈璟、王世贞、梁辰鱼等人虽各有所擅，文辞风格也并不一致，但他们的作品还是都表现出了“崇尚华靡”的特征。

语言华美于案头欣赏也许不失为一种优点，但有时对于舞台表演就可能成为缺憾。文辞典丽，听起来费解；若作品短于才情，而又铺陈冗长，就易使人昏昏欲睡。因此，昆山腔在面向一般群众演出时，艺人就常从舞台需要的角度出发，对剧本做各种变通和处理。比如删削过于烦琐的曲文，以免歌唱太长。在富于戏剧性的地方增加宾白和科诨，使情节更风趣引人。增加净、丑等次要角色的戏，使非主要角色的形象更加突出，等等。比如剧场流行的演出本《缀白裘》中收录的《牡丹亭·学堂》，就将汤显祖原作中“闺塾”一出做了改动。

汤氏原作是否为昆山腔，目前仍有争论，但一般认为汤氏为昆山腔主要作家，我们即可认为汤氏《牡丹亭》原作为昆山腔。演出本《缀白裘》增加了春香的戏，扩充了科诨的内容，增加了戏剧性，并删减调整了曲文。从演出角度设想，它明显地比汤显祖原作生动多了。

经过这种艺人与文人的“合作”，昆山腔剧本往往成为既适合案头阅读，又适合舞台演出的雅不绝俗的艺术品。昆山腔的通俗化、群众化，是使昆山腔能够扎根于群众之中的一个重要原因，而这要归功于艺人的再创造。当然，到了明末清初的以李玉为首的苏州派作家群出现时，这个问题就基本上解决了。昆山腔成为“上穷典雅，下渔稗乘，既富才情，又娴音律”（钱谦益《眉山秀题词》），案头场上，两擅其美的艺术品。

弋阳腔剧作从整体风格上来看，比较通俗易懂，比如《破窑记·乞寺被侮》一出曲文：

〔混江龙〕（生）剪鹅毛雪花片片，受饥寒千般磨难，百员僧诸尊菩萨各妆严。（合）钟声哓，闷转添，困龙何日得升天……（生）……过廊西，忍饥受苦拜铣耳，可怜寒儒遭冻馁，果然一字不堪煮。（合前）……（生）……弥勒祖师笑嘻嘻，一包行李付与谁？不得五贼来偷去，那讨粮食济民饥？

曲文流利、生动，俗而不俚，容易听懂。由于弋阳腔长期于民间流传，刊刻的机会比昆山腔要少得多。弋阳腔的市场主要在农村和下层市民之中，未能与为大都市的文人雅士所欣赏的昆山腔争胜，所以它在明代戏曲中的地位要远逊于昆山腔。

前面说过，专为弋阳腔创作的剧本不多，但弋阳腔用“改调歌之”的办法利用其他声腔的剧本，经过增插道白、更动曲文、加滚等办法进行改造以后，新的剧本不仅在音乐上，而且在文学形式上也对原来的剧本有了若干突破。例如《六十种曲》载高明《琵琶记·南浦嘱别》一出中，有赵五娘与蔡伯喈相别的描写：

〔犯尾引〕〔旦〕懊恨别离轻，悲岂断弦，愁非分镜，只虑高堂，风烛不定。

〔生〕肠已断，欲离未忍；泪难收，无言自零。

〔合〕空留恋，天涯海角，只在须臾顷。

〔犯尾序〕〔旦〕无限别离情，两月夫妻，一旦孤另。（白）官人。（唱）你此去经年，望迢迢玉京思省。

以情理度之，两支短短的曲子，仅仅七十几个字，是很难将新婚才两个月的夫妻的别离之情表达充分的，这里的描写也确实给人以匆匆而过、语未尽意之感。《摘锦奇音》载弋阳腔的“五娘长亭送别”则做了大拆大卸，补充了大量说白，增加了一些曲文，有的地方还对演唱者进行了调整，成为如下的面目：

蔡伯喈（唱）〔犯尾引〕懊恨别离轻。（白）五娘，未行三五步，连叹两三声，莫非为断弦分镜之悲乎？

赵五娘（白）夫，绿鬓才郎，朱颜少妇，眼前虽有离别之苦，久后还有见面之期。解元夫，奴不（唱）虑悲岂断弦，愁非分镜。

蔡伯喈（白）五娘，你虑着何来？

赵五娘（白）解元夫，堂上公婆年满八旬，就似风前烛、草上霜，朝不能保暮。（唱）奴只虑高堂风烛不定。

蔡伯喈（白）五娘，你是女流之辈，到有此心，为丈夫的是一男子，到不如你了。妻，好教我（唱）肠已断，欲离未忍；泪难收，无言自零。

赵五娘（白）你看我丈夫行色匆匆，好似甚的而来。（滚）就似弓动不留弦上箭，丝牢难系顺风舟。你那里去则去终须去，我这里留则留怎生留。（唱）空留恋，天涯海角，海角天涯，须臾对面，顷刻离分，俺和你别离只在须臾顷。

蔡伯喈（白）妻，不觉来此乃是十里长亭，南浦之地。众朋友在彼，观之不雅，请回也罢。

赵五娘（白）公婆年老，早去早回。满腹离情诉不尽，功名得意早回程。夫，早去早回。

蔡伯喈（白）请了。（作别，复回哭介）妻，欲回而不回，悲哭惨切，敢是还有甚么心事未明么？

赵五娘（白）解元夫，适才在家，公婆在堂，有话不好讲，指望送你到中途，把衷情尽诉。谁知顷刻到此，看你邈邈然而去，我心中还有无限别离情。（唱）〔本序〕别离情。

蔡伯喈（白）五娘，诸友纷纷载道上京，谁似我和你，这般样难分难舍。

赵五娘（白）解元夫差矣，人家夫妇也有三年五载，少者周年半载了。夫！（唱）谁似俺和你，两月夫妻，一旦孤另。（白）解元此去上京，几时回来？

蔡伯喈（白）若是功名成就，经年便回。

赵五娘（唱）此去经年。（白）解元，这三条大路，你从哪一条而去？

蔡伯喈（白）卑人只从中道而行。路乃小事，问他则甚？

赵五娘（旦）解元，今日上京，妾从中道相送，明年锦旋，妾从中道相迎。（唱）此去经年，你那里冷清清，俺这里眼巴巴，望着迢迢玉京思省。

转引自《中国戏曲通史》中册

弋阳腔用增白和增加曲文的办法，分层次细致而曲折地展示赵五娘的感情状态。曲文被拆碎以后，插到对白之间，这以白为主、白中加曲的表现方法，既补充了唱腔动作性和戏剧性的不足，使人物的内心世界得到充分的开掘，又是对传奇以套曲为主体的文学形式的突破。

弋阳腔对传奇剧本结构形式的另一突破是在曲文中加滚，以改变曲牌联套的基本格式。

加滚的各种情况及它在音乐上所起的作用，前面已做了说明。从文学的角度来看，加滚在增加曲词表现力方面，也有重要的作用。首先是对原作曲词进行解释和渲染，加强听众的印象。其次是对诗词式跳跃的曲文，进行衔接和补充。第三是加强抒情曲文的铺叙。

说白在明传奇中的地位显然比以前有很大提高。前面所举的弋阳腔“五娘长亭送别”中，就显示了说白对展示人物内心世界所起的作用。南戏与北杂剧还都是以歌唱为主，虽然有造诣的作家已注意到“曲白相生”的问题，但总的来说，作家的注意力还是放在曲文上。明传奇的作者则更多地注意到曲白的平衡问题，注意到发挥宾白塑造人物的功用。例如《浣纱记·通嚭》一出，写文种见伯嚭的场面便是如此，作者写伯嚭先是不解文种为何昏夜求见，见到文种后大光其火，因为文种曾在阵上揭过他的短。听文种说勾践让他前来“报恩”，马上知道有利可图，因此回嗔作喜，让文种起来回话。听到礼物丰厚，心花怒放，命人杀羊烫酒，要款待文种，称呼也从直呼其名改为“文老爹”，等文种送上两个美女，伯嚭已喜不自胜，得意忘形，要杀牛待客。再后面就是问文种，勾践有什么“吩咐”，打算唯命是从了。这段戏并无唱词，全靠说白和表演推动剧情发展，伯嚭的贪婪、好色，为一己私利出卖灵魂的特点，在这里表现得极有层次，入木三分。文种的不卑不亢、老谋深算，也通过性格化的说白，表现得很生动。

弋阳腔《珍珠记·询奴》一出，演高文举中举之后，不得已从婚相府，前妻王金真来到相府后，受到温相之女的折磨，不能与高文举相见，于是做饭时，把与文举分藏的半颗珍珠放到米糷中，文举发现珍珠后，询问老奴：

高：老奴，我只问你，张千敢莫回来了？

奴：回了……不曾回。

高：前夫人到了？

奴：前夫人到……不曾到。

高：哇！到就说到，不曾到就说不曾到，为何说这往来的话？

奴：是不曾到。

高：你且说这米糷是谁做的？

奴：是老奴做……夫人做的。

高：是王夫人做的么？

奴：是……是温夫人做的。

转引自《中国戏曲通史》中册

高文举思念前妻，又惧怕温氏父母的权势，看到珍珠，知道王金真已近在咫尺，因此，背了温夫人追问老奴。老奴不了解高文举对王夫人的感情，又怕温夫人责怪下来，自己反受其累，因此回答问题时吞吞吐吐、模棱两可、闪烁其词。在短短的说白里，两个人的心理状态都刻画得很细腻。另外，传奇作品中出现有白无曲的整出，《昙花记》中竟有九出无曲，这说明说白在戏曲中越来越扩展了它的作用。明传奇中的说白，可以算是有“本色当行”的风格，但却并不是元杂剧精神的简单回归，它是一种既抒情，又叙事，既描绘出人物的内心世界，又符合于角色的外部动作的综合性极强、性格化极强的语言。

明传奇经过长期的舞台实践，对于舞蹈和武打的运用，也取得显著的成功。昆山腔为了适应抒情性和动作性强的场面的需要，创造了许多以抒情舞蹈表演为主的著名的折子戏，如《西厢记·惠明》《玉簪记·秋江》《西川图·芦花荡》《三国志·刀会》《拜月记·踏伞》《宝剑记·夜奔》等等，都成为流传久远的精彩的舞蹈片段。这应当是文人和艺人的共同创造。弋阳腔中有许多历史题材戏，其中有不少热闹的开打场面，如《古城记》第七出敷演张飞偷营故事，先是“张杀进营”，发现是空营后，急忙退出，然后，“许褚上”，“褚飞对杀，飞下科”，“辽刘对杀，刘下科”，“飞又对辽杀，辽下科”，“刘又对褚杀，刘下科”，“辽上与褚混杀科”，“曹执令旗上科”，曹操对他的部下许褚、张辽大吼：“哇！住了，你每怎么自家相杀？”张辽、许褚回答：“黑夜之间，不分皂白，因而混战了。”这场厮杀，不再是《张协状元》中五鸡山强人行劫的示意性的对打，而是要有不同人物持不同兵器，短兵相接，并要以打斗表示出偷袭、撤兵、包围、突围的情节，还稍带制造了科诨笑料。《薛仁贵白袍记》《草庐记》以及《天缘配》等历史戏和神怪戏中，都有打斗的场面。这种传统直接影响了后来的京腔。

明传奇中说白、舞蹈、武打比重的增加，歌、舞、介、白各种表演手段之间新的平衡，它们与曲文之间密切而熟练的配合，共同提高了传奇的表现力，说明戏曲在综合表演方面又向前迈进了一步。

由于明传奇内容远比北杂剧丰富，人物和情节也趋于复杂，因此，戏曲的角色分类也出现了新的原则，配备也愈趋完善。

南戏有七类角色，北杂剧有三大类角色，分类的根据都不完全统一。比如北杂剧末、旦之间据其性别；末、净之间据其人物类型；正旦、贴旦据其在剧中职司主次；搽旦则专门代指一种性格特征。

明传奇由于戏曲中“做工”有所发展，于是按照不同人物类型的区别，形成了比较明确的分工。

昆山腔的角色分行为，“旦”“生”饰演庄重的中年人，重唱工。“小生”“小旦”饰演风流潇洒的青年男女，唱做并重。“贴旦”扮演年轻活泼或近于泼辣的少女，以做工见长，有时也扮少年男子。“净”装扮正剧型的反面人物如《精忠会》中的秦桧、金兀术，《连环记》中的董卓，《八义记》中的屠岸贾等。或饰演性格粗放的喜剧人物，如《千金记》中的里长、帮闲、光棍，《精忠记》中的父老、道士等，也扮演滑稽人物，如《玉簪记》中的艄翁、《虎符记》中的渔父等。由于这类角色涵盖的人物类型过多，后来又不得不分为大面（净）、二面（副）、三面（丑）三大类。以示区别。“丑”扮插科打诨的正、反面人物，多饰下层市民，如丫鬟、酒保等。“末”和“外”都饰演中年人，“外”有时饰老年人。“老旦”演老妪。“副”扮中年以上的妇人。

昆山腔的角色分行，基本上是按人物类型进行分工，并兼顾到技术分工。在人物类型上，正剧型、喜剧型、粗放型、细腻型都各有所归。

弋阳腔的角色分行与昆山腔有些区别。最大的不同是“净”“丑”两行角色可以扮演主要人物，可与生、旦两行相比并，这与弋阳腔的题材多政治斗争、军事斗争内容的特征

有关 。“净”角正式成为正剧角色，又称“大净”，如《古城记》中的张飞、《金貂记》中的尉迟敬德均由净来扮演。这角色常带有喜剧性格特征，又兼擅歌唱、表演，是南戏中长于喜剧表演的净角，与北杂剧中长于歌唱的正末的综合发展。“丑”角仍富喜剧性，但并不止于插科打诨。如《金貂记》中的程咬金、《荆钗记》中的李成，都富有鲜明的性格特征。在弋阳腔中，丑角既可扮演风趣、机智、淳朴的正面人物，也可扮演愚顽、奸刁、阴险的反面人物，在一些剧中，丑角还可有富于戏剧性的唱腔和对白，成为剧中的重要人物。在弋阳腔中，“旦”不仅可以扮演豪放、泼辣的妇女形象，还可扮演武艺高强的女子，突破了南戏和北杂剧中的“旦”角一般以“唱、念、做”为主，而不擅长于“打”的传统。“生”色在南戏中多演书生一类人物，弋阳腔中的“生”，不仅饰书生秀士，而且饰文臣武将，《古城记》中的刘备、《招关记》中的伍子胥、《木梳记》中的宋江等，都不属于书生一类。

弋阳腔实际上有四大类角色。按王芷章《腔调考原》的说法，这四大类包括十九种角色：

> 生角之部：老生、王帽生、青袍生、脆生、大武生、小生。
>
> 旦角之部：花包头、正旦、四旦、花旦、玩笑旦、武旦。

净角之部：黑净、红净、白面、二花面、毛净。

丑角之部：文丑、武丑。

比起昆山腔来，弋阳腔的角色分类文武兼备，似乎更具系统性。

明传奇在表演上的虚拟性、程式性的运用，比南戏和北杂剧也都有不同程度的提高。由于明传奇中各种艺术手段的成熟，使明传奇作家在角色调配、唱腔安排、宾白使用、武打设计、舞蹈安插等方面，都有了较为广阔的驰骋才干的天地，因而明传奇在表演上比南戏和北杂剧都更富于色彩。

杂剧的南曲化

在明代传奇千姿百态，争妍斗胜的时候，杂剧从总体上说虽然已经衰落，但是也并没有音沉响绝，而是在悄悄地进行蜕变。这蜕变的过程相当长，从明初直到明中叶以后一直在进行，蜕变的幅度也相当大，以至几乎改变了元杂剧的基本体制。明代杂剧无论组织结构、音乐格律与元杂剧都有很大的改变。比如：不再恪守一人主唱的限制，每个角色都可以有唱词，甚至数人对唱、几人共唱一曲、数人同声合唱的情况都已经出现。而且，在格律和联套规则上也不再囿于北曲旧制，南北曲随意使用，甚至只用南曲的情况也颇不少。

在明代戏曲界求新求变的风气中，已经走到末路的元杂剧也没有被遗忘，它被改造、革新，以适应变化了的审美风尚，它在变化中求得了生存。

明初藩王朱有燉是个杂剧大家，他是第一个对杂剧进行大幅度改革的人。此前贾仲明的杂剧《昇仙梦》中，四折都用了南北合套，刘东生《娇红记》有八折，分上、下卷。这些剧虽然已开改革先例，但把南戏格范引入杂剧的功臣，应推朱有燉。

朱有燉作杂剧三十一种，其中有不少革新之举。比如《曲江池》的结构是五折两楔子，第一折“旦”唱，“二净”唱；第二折“末”唱，“外”唱；第三折“旦”唱；第四折“末”唱；第五折又是“旦”唱。完全打破了北杂剧一人主唱的惯例。

《得驺虞》第二折有四个探子各唱〔醉花阴〕一支，还有五探子同唱〔喜迁莺〕。《牡丹园》中也有十美人“同唱”，这是把南戏有分有合的唱法引入了杂剧。《吕洞宾花月神仙会》的前三折中，“末”都唱北曲，而“旦”都唱南曲，首开南北分唱的先声。

朱有燉的作品在思想内容上，没有太多可取，粉饰太平、宣扬封建道德、神仙道化是他作品的常见主题。但他在杂剧体制上所做的改革尝试是不应当忽视的。

弘治九年进士王九思创作《中山狼》杂剧，一本只有一折，用北曲〔双调·新水令〕套，由生扮东郭先生演唱，别是一格。这一创新，马上有人仿效，出现了以一折谱一事的《太和记》。《太和记》虽然已佚，但据沈德符《敝帚轩剩语》所云“向年曾见刻本《太和记》，按二十四节气，每季填词六折。用六古人事，每事必具始终，每人必有本末”，可见其结构的特殊。许潮有《武陵春》《写风情》《午日吟》《南楼月》（见《盛明杂剧》）等七种，也都是一折一事的短剧，这种结构在体制上无疑是一种创新；而且，这些一折短剧，或用南曲，或用北曲，或用南北合套，没有成法，充分吸收了南戏随意、自由的特征。

徐渭在《太和记》的基础上，创作了《四声猿》杂剧。《四声猿》包括四个短剧，敷衍四个故事。每个短剧有一出至五出不等，共计十出。所用曲调，亦是南北无定，不拘绳墨。后来有沈璟《十孝记》，每事三出。《博笑记》，每事二、三、四出不等，共二十七出演十事。叶宪祖《四艳记》，四事合为一本，每事七至八出。其他如车任远《四梦记》、无名氏《四豪记》等也皆属此类。其他以六折、七折、九折演一事的结构，也不乏其例。

汪道昆《大雅堂四种》又别是一家。结构上一折演一事，前有“副末开场”，后有“卷场诗”，没有“题目正名”，却有“总目：楚襄王阳台入梦，陶朱公五湖泛舟，张京兆戏作远山，陈思王悲生洛水”。除了“陶朱公五湖泛舟”为“南北合套”之外，其余三种全用南曲。因而被许多研究者称为“南杂剧”。

上述一折至九折谱一故事的杂剧，在体制上有三个特点。一是折数无定。二是用曲自由，南曲、北曲、南北合套、南套北套相间、南北曲混用者都不胜枚举。三是主唱者不限于一人。至此，北杂剧体制的基本特征可以说已经荡然无存。把这些吸收了传奇特点的杂剧的变体，叫什么名称呢？杂剧？传奇？杂剧式的传奇？传奇式的杂剧？南杂剧？研究界说法不一，又似乎都有不确，或许叫作“短剧”还妥帖些吧？

在明代杂剧作家中，康海和凌濛初的杂剧严守着元杂剧的规矩：如《中山狼》一本四折，由“末”扮东郭先生主唱到底。四套北曲分别为〔仙吕·点绛唇〕〔正宫·端正好〕〔越调·斗鹌鹑〕〔双调·新水令〕。题目正名为“东郭先生误救中山狼，杖藜老子智杀负心兽”。而且，由于康海是北方人，无论曲调、曲词，都自然流露出本色与古朴，绝非那些摹拟北方语言皮毛的江南人的作品可比。

明代的杂剧和短剧为什么在昆山、弋阳两大声腔争胜于剧坛的时候还能生存下来呢？这是因为杂剧和短剧也有自己的优势。首先，杂剧在经过革新以后，无论创作或演出，都非常方便。作者不必费尽心力去命意遣词，演员也不必夜以继日地讴歌表演，观众又可以在短短的时间里悦目怡心，在各方面都是一种可取的节约。其次，这一形式于文人抒写胸臆非常适合，以曲遣兴、托物言志，总是不可缺少的。当然，还有其他一些原因，这里就不详述了。

五　中国戏曲的变化

戏曲是一种时代感很强的艺术。它与广大观众的社会心理和审美风尚有密切的关系。它之所以能保持旺盛的生命力，在很大程度上得力于它那种通过变化求发展的特质。元朝杂剧称盛，明时传奇擅场，时至清代，戏曲进入了一个新的时代，这是一个适应社会变迁而产生多种变异的时代。

戏曲的变化，并不是与朝代更迭相一致的，但它却与国事时运有着微妙的关系。传奇为明朝一代的好尚，从达官显宦到世俗百姓，无不对传奇热衷迷恋，致使传奇创作演出，遍及城市和乡村。及至清代，国祚迁改，传奇虽然将兴盛的局面勉强维持到顺治、康熙年间，但毕竟已成流韵馀光，不复有当年的风采了。

总的来说，清代是戏曲从雅到俗发展的时代，戏曲从楼阁厅堂的红氍毹上，走向民间的草台，其突出表现是难以数计的地方戏在全国各地争奇斗艳。传奇的馀霞，已化作无数的绮云。

从历史发展的角度来看，有清一代是戏曲艺术的重要历史转折时期。明末时，形式主义倾向的出现，使传奇艺术受到很大伤害，一度进入低潮。清初时，传奇迎来了新的转机。王朝交替所造成的社会大动乱，为剧作家提供了生动而丰富的创作素材；亡国的惨痛教训，清王朝所实行的民族压迫政策，激发了很多艺术家的民族意识，于是以《长生殿》和《桃花扇》为代表的一大批立足于总结兴亡教训和抒发兴亡之感的作品应运而生，“南洪北孔”家喻户晓。这为传奇艺术注入了新的血液，使其焕发出新的光彩。然而，好景不长，降至乾隆时期，传奇就急剧衰落了。究其原因，恐怕与清政府大兴文字狱有直接关系。《长生殿》和《桃花扇》都因有犯忌之处而为作者带来灾难。此后，文字狱迭兴，更是令文人望而生畏。趋利避害，人之常情，于是很多剧作家只好去吟咏风月，以寄情怀了。

乾隆时期，剧作家和作品虽然都不算少，但能经受得住历史筛选的东西却很罕见，这除了作品的思想内容平庸之外，也与传奇文体本身的发展进程有关。

传奇历来由昆山腔、弋阳腔、余姚腔、海盐腔演唱，其中昆山腔尤为士大夫文人阶层所垂青。经过明代的发展，从艺术上看，昆山腔进入清初已完全成熟，成熟得趋于凝固，而凝固的结果则是不能满足观众的新的审美需求，随之而来的就是衰落的开始。

我们在考察传奇艺术的变化时，不能忽略另一个重要的因素，那就是花部诸腔的兴起。学术界一般认为，早在明代中叶，梆子腔就已经破土而出。从清初的许多记述中可以得知，其时，梆子腔的足迹几乎遍及全国。不但如此，弦索腔、罗罗腔等新兴的声腔，在清初也都成了气候。这些土生土长、充满生活气息的新兴声腔的出现，势必要与昆山腔、弋阳腔等展开艺术竞争，并因此给它们造成很大的压力。明传奇，特别是昆山腔，一旦逐渐脱离生活的土壤，成为少数人的玩赏之物以后，它的衰落、它的被取代，就是必然的事情了。

我们所说的戏曲艺术的历史性转折，是指地方戏曲的兴起。地方戏的兴起，为戏曲艺术带来两个重大的变化。其一是在曲牌联套体之外，创造了一种新的戏曲体别——板式变化体（亦即板腔体）元杂剧和明传奇，都是曲牌联套体戏曲，而随着梆子腔和皮黄腔的出现，板式变化体戏曲逐步地确立了自己的地位。其二是先后出现了一大批新的声腔剧种，它们与原有的声腔剧种交相辉映，造成一种百花争艳空前繁荣的局面。其中昆山腔、弋阳腔、梆子腔和皮黄腔四大声腔体系，成为我国近现代戏曲的四大支柱。

昆弋之变和花雅之争

清初传奇作者中有相当一部分人，从主观上想以汤显祖为楷模，但由于缺少汤氏的创新精神，所以就表现出更多的模仿；缺少汤氏的才情，就较明显地表现出对文辞的追求，不少作品竟成了案头之作。

但明清之际直至康熙年间，也有相当一批优秀作家。以李玉为首的苏州派作家群，“既富才情，又娴音律”（钱谦益语），所作戏曲雅俗兼顾，重视演出实践，白为场上之白，曲为戏中之曲，成功地创作出案头场上两擅其美的作品。李渔作为戏曲理论家兼戏曲作家、戏班班主，更看重舞台表演，为我们留下了一批注重关目排场和观众心理、舞台效果极佳、曲词质朴通俗的作品。洪昇的《长生殿》，稿经三易，经营十载，通过一个“精诚不散，终成连理”的爱情故事，抒发了对人间世事的看法及对生死情缘的看法，并在曲辞性格化、多样化上取得很高的成就。孔尚任《桃花扇》以一个爱情故事为主线，再现了南明王朝崩溃瓦解之际的历史。这个政治性的爱情剧，或者说抒情性的政治剧，所表现的内容的深刻性和广阔性，在戏曲作品中是不常见的。

《长生殿》和《桃花扇》都问世于康熙年间，前后相隔十一年，问世时都引起了轰动，传抄、搬演，蜚声一时。洪昇和孔尚任又都因此而惹出了轩然大波，一个因有“讽刺”之嫌，于次年被革去国子监生，从此断送了功名，一个因眷恋故国，语涉违碍，不久罢官丢职，带着解不开的怨恨回到家乡。

洪昇和孔尚任创造了清代传奇最光辉的一页，他们的遭遇也起到了以儆效尤，以诫来者的作用。至此，文人创作传奇的黄金时代，就这样凄凉地结束了。洪昇和孔尚任虽然没有对传奇体制的发展变化做出什么突出贡献，但是他们把这种文体的优势发挥到了极致。

康、乾时代，戏曲的发展有两个现象值得注意：一是昆弋之变，二是花部之兴。

《长生殿》《桃花扇》之后，《雷峰塔》算是清代传奇创作最后的一抹光辉，之后，文人创作衰落，贵族显宦的欣赏趣味转移，使昆山腔面临着危机。昆山腔（又作昆腔或昆曲）自明中叶以来，一直是剧坛盟主，被公认为是戏曲正声，这与明代传奇创作繁荣和士大夫的宣传提倡有关。康、乾之后，王府贵族的厅堂和歌楼舞榭为昆腔提供的演出场所越来越缩小，昆腔就不得不逐渐流落江湖，向社会下层讨生活了。为迁就新的层次的观众，昆腔无论在唱法上还是在表演上，都做了相应的改变。首先是地方化，昆腔原为吴讴，离开江浙之后，语言就发生了障碍，于是各地的昆腔演员就吸收了当地语音，以便当地群众的观听，这对正宗昆腔当然是一种“歪曲”，所以孔尚任讥讽晋南平阳的昆腔“太行西北尽边声，亦有昆山乐部名。扮作吴儿歌水调，申衙白相不分明”（《平阳竹枝词》）。刘献廷也嘲弄湖南衡阳的昆曲：“楚人强作吴歈，丑拙至不可忍。如唱红为横、公为庚、东为登、通为疼之类……使非余久滞衡阳，几乎不辨一字。”（《广阳杂记》）但这正是昆腔要栖身民间所做的必要的“牺牲”。其次是群众化，在艺术风格和艺术形式上，民间色彩的加强。比如表演上吸收弋阳诸腔的成分，演出风格上更向通俗化发展，对一些典雅的曲文做了修改，力求通俗易懂，发展昆曲中的武戏，投合下层观众的喜好，等等。这些流布于各地的昆曲，在当地站稳脚跟的，就成为地方昆曲，如云南、广东、山西、湖南都有许多昆曲班社存在。

弋阳腔原有旺盛的生命力，能在发展中不断地丰富自己。嘉靖以后，它在各地繁衍出乐平腔、徽州腔、青阳腔、太平腔、四平腔、义乌腔、京腔等，后来都成了各地的地方戏。入清以后直至乾、嘉，弋阳腔在流传过程中，仍不断从民间艺术中吸收营养，并对加“滚”的形式又做了发展和革新，使弋阳腔更加地方化、群众化，演变成为丰富的高腔系统：乐平高腔、青阳腔、瑞河高腔、东河高腔、青阳南陵高腔、徽州目连高腔、岳西高腔、高淳高腔、西安高腔、侯阳高腔、西吴高腔、松阳高腔、温州高腔、宁海调腔、开化高腔、新昌高腔、闽南四平戏、长沙高腔、衡阳高腔、祁阳高腔、常德高腔、辰河高腔、四川高腔、襄阳青戏、麻城高腔、孝感高腔、京腔、高阳高腔、河南青戏、汾阳弋阳腔、万泉青戏等（见江西省弋阳腔研究所汇辑《弋阳高腔概况》），它们后来绝大部分成为独立的剧种，在各地雄踞一方。

昆腔和弋阳腔在求生存、求发展的过程中，一方面不断地进行自身的革新，另一方面又不断地竞奇争雄，并在竞争中互相交流和吸收。昆弋竞争在清代具体表现为“花雅之争”，花雅之争在北京表现得比较激烈。因为北京是都城，各种地方戏声腔常因进京朝贺等原因荟萃京师。北京又是政治中心，清廷对戏曲的干预也最先在京师发生影响。清初开始发生在北京的昆弋之争，表现在昆曲和高腔之间的竞争。高腔是弋阳腔的流变，在京又称京腔。历史悠久、有着典雅婉丽风格的昆腔到清初已显出凝固和陈旧，而来自民间的、受到一般市民欢迎的京腔正处于上升时期，因此，两家的竞争，很快就分出了胜负。震钧《天咫偶闻》云：

国初最尚昆腔戏，至嘉庆中犹然。后乃盛行弋腔，俗呼高腔。

以通俗性和群众性为其特点的京腔取得了压倒昆曲的优势，原应领袖群芳，但清政府却介入了这场竞争，采取了利用和规范的措施，致使京腔步昆曲之后尘，沦为在清朝宫廷中与昆腔平分秋色的御用声腔。宫廷大戏昆弋并奏，共同为粉饰太平而颂圣，京腔在艺术风格上也趋于昆腔的典丽化，这次昆弋之争自然也就化为乌有了。

这次的昆弋之争发生在“花”“雅”概念确立之前，但一般都认为这是花雅之争的第一回合。此次竞争的本质是雅俗之争，虽然其结果似是不了了之，但它的影响还是很大的，不仅打破了昆曲独霸京师舞台的局面，展示了新兴地方戏的力量，而且也拉开了花雅之争的帷幕。

“花部”与“雅部”的概念出现于乾隆时期。吴太初《燕兰小谱·例言》云：“今以弋阳、梆子等曰花部，昆腔曰雅部。”“雅”字意为正声，而与“雅部”相对的“花部”就是俗部的意思了。《扬州画舫录》云：“两淮盐务例蓄花、雅两部以备大戏：雅部即昆山腔；花部为京腔、秦腔、弋阳腔、梆子腔、罗罗腔、二簧调，统谓之乱弹。”

这里所谓“乱弹”，是花部戏曲剧种的共称，包括除昆腔之外的所有声腔剧种，不是专指某一种具体的声腔剧种。我们下面涉及“乱弹”时，也取此广泛的含义。

花部乱弹的主要声腔系统包括梆子腔、皮黄腔和弦索腔等。

梆子腔起于山、陕的民歌和说唱，变而为民间小戏，又接受了昆弋诸腔的熏陶，发展成为激越高昂，富有进取精神的大剧种。山、陕梆子以硬木梆子击节为其主要特色，在北方各地流布开后，落地生根，演变成当地的梆子腔剧种：陕西除同州梆子（东路秦腔）之外，还有中路、西路、南路秦腔，山西除蒲州梆子（南路）之外，还有中路、北路和上党梆子，此外，河南、河北、山东、四川的梆子腔的变种也举不胜举。

梆子腔除了形式自由活泼、格调激越苍凉、文辞通俗易解的特征之外，还具有板式变化体的语言结构形式和音乐结构形式，从而突破了传奇古老的曲牌联套体，成为一种新兴的戏曲体制。

皮黄腔由西皮和二黄两种腔调合流而成。西皮腔起于湖北，母体却是梆子腔。二黄起于南方，在乾、嘉之际，二者于汉口一带结合成为皮黄腔（亦叫楚调），之后便顺着长江、汉水、湘水、赣水流传开去，遍及江西、安徽、湖南、两广、四川、陕西、山西、云贵等地。后于乾隆末叶进京，参加了花雅之争的第三回合。

弦索腔起于河南、山东地区，它是在民间小戏的基础上发展起来的。弦索腔中的山东梆子腔发展得比较快，它除了保留自己的地方特色外，还吸收了青阳、高腔、罗罗、西皮等腔的特点，对联曲体和板腔体都有所吸收。乾、嘉之际，亦流入北京，一度以“东梆”称盛。

第二回合的花雅之争，始于乾隆初年，由梆子腔首先发难，对立面是京腔、昆腔。此次的竞争，在性质上仍为雅俗之争。因为京腔此时已易俗就雅，与昆腔站到了一起，相对来说，来自民间的梆子腔当然更“俗”一些。与第一次不同的是京、昆两腔为联曲体的古老剧种，而梆子腔是采用板式体的新的戏曲体式，因此，这次竞争还有着新旧之争的内容。

梆子腔以内容和形式上所具有的优势，很快就占了上风。乾隆九年，张漱石《梦中缘传奇序》描写了昆曲在观众中的颓势：

长安之梨园……所好惟秦声、罗、弋，厌听吴骚，闻歌昆曲，辄哄然散去。

昭梿《啸亭杂录》也记录了双方势力的消长：

魏长生，四川金堂人……时京中盛行弋腔，诸士大夫厌其嚣杂，殊乏声色之娱，长生因之变为秦腔。辞虽鄙猥，然其繁音促节，呜呜动人，兼之演诸淫亵之状，皆人所罕见者，故名动京师……

康、乾时期所谓“秦腔”即为山陕梆子。山陕梆子腔的横行无阻，使“京腔旧本置之高阁”“六大班几无人过问，或至散去”（《燕兰小谱》），且“六大班伶人失业，争附入秦班觅食，以免冻饿而已”（戴璐《藤阳杂记》）。京腔境遇尚且如此，昆腔就更狼狈了。安徽人檀萃《杂吟》诗写于乾隆四十九年，诗中所言“丝弦竞发杂敲梆，西曲二簧纷乱咙，酒馆旗亭都走遍，更无人肯听昆腔”，说明人心所向，已属乱弹花部。

梆子腔的胜利，为花部争得了存在的充分合理性，为新兴板腔体取代联曲体的主导地位廓清了道路。在梆子腔取得稳固地位之后，清廷又一次介入了这场竞争：发布禁令、清查删削、审定音律、组织编撰宫廷大戏，从内容和形式上进行规范。乾隆五十年，还发布了专门针对梆子腔（秦腔）的禁令。据《钦定大清会典事例》载：“乾隆五十年议准，嗣后城外戏班，除昆、弋两腔仍听其演唱外，其秦腔戏班，交步军统领五城出示禁止。现在本班戏子，概令改归昆、弋两腔。如不愿者，听其另谋生理。倘于怙恶不遵者，交该衙门查拿惩治，递解回籍。”

“崇雅抑花”是清廷的一贯政策，这可能与审美心理，以及雅部长期为官僚地主阶级掌上明珠，内容、形式都深得宠爱有关。但何以如此仇视梆子腔，却不易理解。或许是被文字狱弄昏了头的乾隆晚年更加神经质，不能容忍充满了野性的梆子腔。况且梆子腔于民间栖无定所、趋附日众，内容于清廷又多有“违碍”之处，难免被认为有伤教化、蛊惑人心。而且这些俗间野戏，常常没有固定剧本，无从删削改定，规范之策鞭长莫及，因此乾隆才使出了“禁”的招术。

清廷的禁令使梆子腔一时消沉寂寞下去，但安庆花部——徽班迅速进京，担当起第三回合花雅之争的重任，却使清廷始料不及。这徽班所唱的是一种综合性声腔，来源于秦腔与安徽昆、弋腔的结合，与梆子腔可算是异体同源，所以，它很轻易地取得了对雅部的优势，攫取了花部盟主的桂冠，最终战胜了雅部并完成了花雅之争的使命，确立了花部作为我国近代戏曲史主体的历史地位。

乾、嘉之际，禁不绝的梆子腔逐渐形成了体系，它与古老的昆、弋诸腔地方化之后的昆曲声腔系统和高腔声腔系统，以及出自俗曲的弦索腔系统，构成多姿多彩的地方戏。嘉庆、道光年间，在北京流行的“南昆”（苏州昆曲）、“北弋”（河北的高腔）、“东柳”（山东柳子戏）、“西梆”（山陕梆子腔）和徽调、汉调合流的皮黄戏，成为所谓“五大声腔”。五大声腔中，花部占了四种，显然取得了绝对优势。

清代地方戏的体制变革

这里所说的清代地方戏，主要指流行于清代各地的民间戏曲，包括乾隆前后涌现的梆子腔、弦索、皮黄等乱弹诸腔，从前代延续下来的地方化了的昆、弋诸腔，以及偏处一隅的、派生于弋阳腔的福建、广东等地的古老剧种——莆仙戏、梨园戏、潮州戏等。

这些地方戏品种繁多，流布宽广，彼此之间的相互渗透也是错综复杂的。新兴乱弹诸腔不断地接受古老剧种积累下来的艺术成就，古老剧种也不断从生活中、从民间艺术中摄取养分，使自己得到更新。新兴声腔剧种间，更是不断地互相取长补短，以期使自己更加完善。由于它们安身立命的根基在于民间，所以群众化、通俗化就成了它们发展的共同趋势。由此而引起的体制上的变革，也是以此作为出发点的。我们可以从采用曲牌联套体的高腔剧种、弋阳梆子秧腔剧种和采用板式变化的梆子腔、皮黄腔的体制变化来观察清代地方戏对传奇体制的发展。

高腔剧种是弋阳腔的流变，以用打击乐伴奏，用人声帮唱，基调高亢为其特点。高腔剧种没有抛弃套曲分出形式，而是从表现手段等方面来弥补传奇日趋典雅的缺陷，突破曲牌联套体在音乐和文学结构上因为过于严整而日益明显的局限性。

高腔在弋阳腔原有的基础上，对曲牌联套体做了变通，同时发展了滚调和帮腔，从而加强了表现力和通俗化。

高腔剧种的曲牌有数百支，牌名沿用南北曲，但在音乐上和句法上都有很大变化。有的曲牌则几乎就是当地民歌的高腔化。如《借靴》（见《缀白裘》十一集）中的〔梨花儿〕：“小子平生说谎多，全凭舌剑两头唆。礼义相待是俺的哥，不雅梳装雅意多。”应是从民歌演变的曲牌。曲牌的句法也不再有严格的拘束，如同剧中的曲牌〔高腔〕共有七支，每支句法全不相同，长的有二百余字，短的仅六十余字，可见其自由随意的程度。

高腔剧种的曲文，趋向通俗和口语化，例如《借靴》的第二支〔高腔〕：

吓得我战战兢兢，我好一似呆瘦。你把借靴二字且自搁起。亏着你这乔嘴脸，好一似柳盗跖。亏着你恶面皮，认你一似打劫贼！急得我腾腾怒气，急得我腾腾怒气。

大多数高腔的联套规则也不再像传奇那么死板，只要曲牌音域、定调适合，都可以组合运用。今存的《缀白裘》中的高腔短戏《借靴》是由〔梨花儿〕一支，〔高腔〕六支，〔尾〕一支，〔高腔〕一支，〔尾〕一支组成，组织得相当自由。

高腔又将明代弋阳腔的畅滚，演变为无韵散文体曲文和放流，《中国戏曲通史》下册对于“放流”的解释是：“放流是对畅滚进一步融会贯通的结果，从演唱上来看，放流在形式上与滚调的不同，在于不是一种外加进一支曲牌中来的朗诵性韵文，而是从一支曲牌本身演化出来的乐句，是一支曲牌的有机组成部分，但又是句数可增可减的灵活组成部分。”明代弋阳腔的畅滚是有韵的散文诗，多用五、七言上下对句，句法整齐，而清代高腔将其发展为无韵散文体唱词。例如川剧《琵琶记·书馆悲逢》（重庆川剧剧目鉴定委员会油印《琵琶记》旧本）：

牛小姐（唱）嗨呀姐姐呀！小妹方才在书馆之外，何等言语嘱咐于你，见了相公，只可报喜，不可报忧，相公闻听你言昏迷在椅，恐有差错，你我姊妹身靠何人了。贤姐姐呀。

赵五娘（唱）嗨呀贤妹妹！为姐不来，他就不悲，双亲不死，他就不哭，他是猫儿不吃死老鼠，假慈悲了。贤妹妹呀。

这种滚调，表达直白、真切、口语化，既不必押韵，也较少文饰。从作者一方说，可以主要从表达人物性格情感出发，不为合腔依律所拘束。从听众一方说，接受起来也少了一层文字障碍。滚调在高腔中的大量、普遍的应用，使滚调逐渐成为曲牌内部的有机组成部分。

放流与滚调不同，它不是外加到曲牌中去的滚调，而是由曲牌本身演化出来的乐句，成为曲牌的有机组成部分。比如戏曲单出选集《大明春》中所收明代弋阳腔《琵琶记》中《五娘描容》有赵五娘与张太公分别一场：

旦〔惜奴娇〕山又高路又长，山高水长离故乡，撇下孤坟往帝邦，只恐奴家此去受凄凉。

合（唱）对景悲伤，对景断肠，泪洒西风两行，泪洒西风两行。

末〔前调〕赵五娘离故乡，肩拕雨伞寻蔡郎，身背琵琶脚又忙（插白）五娘子（唱）只愁你金莲窄小难行上，只愁你金莲窄小难行上。

合（唱）对景悲伤，对景断肠，泪洒西风两行，泪洒西风两行。

这里是用帮腔来渲染别离时悲伤的气氛，而清代湖南高腔的《描容送行》则完全改变了这种格局，把旦、末对唱以及帮腔一起生发成旦的大段宣叙性唱词，将叙事与抒情结合在一起，即是使用了“放流”：

〔高阳台〕赵氏女离故乡，肩背雨伞，手拿琵琶，怀抱真容，找寻蔡郎。大翁叔送我在阳关上，叮咛嘱咐两次三番。舍不得大翁叔回头望，又只见年迈之人两泪汪汪，把几句好话对他讲。大翁叔莫哭免悲伤，阳关路上少行往，年迈之人需要谨防，归得家去转拜奴的张婶母，说媳妇不来问安康。此回媳妇上京往，朝念弥陀晚烧一炷香，一不保佑爹，二不保佑娘，愿只愿大翁叔福寿绵长，愿大翁叔福如东海样，张婶母寿比松柏长。倘若是得会蔡郎面，夫妻双双转回故乡，那时节登门来拜谢，拜谢大翁叔婶好恩光。曾记得翁婆归泉下，遗留了柱杖一根，遗嘱一张，倘若是伯喈回乡转，大翁叔你要打，打他一个三不孝，还要骂，骂他一个罪难当。公婆在，生不能够养，爹娘死，死不能够葬，再不能够祭奠他一双爹娘。为子的不能够披麻执杖，还要儿，女流之辈，孤孤单单，冷冷清清，独自一人我上帝邦。此一去，山又高，路又长，儿的鞋儿弓，足又小，山高路长鞋弓足小岂能行上，大翁叔，何日里挨得到帝邦。似这等，对景悲，对景伤，对景好悲伤，悲伤愁断肠，泪洒西风落两行。

《湖南戏曲传统剧本》第二集

这段唱词表现赵五娘的心情可以说是非常充分，甚或是充分得过了头，对于文化水准不太高的听众来说，这也许是非常必要的。

高腔对弋阳腔的帮腔方式也有发展，特别是川剧高腔的帮腔，以多彩的方式和惊人的表现力，与其他唱腔融为一体。例如川剧《别洞观景》中，白蟮仙唱〔梭梭岗〕：

……（帮腔）青山多雅秀，绿水浪悠悠，（独唱）青山多雅秀，绿水浪悠悠，渔翁江边走，农夫把歌讴，樵夫山凹口，儿童读春秋。（帮腔）喜悠悠。（独唱）侍儿搭扶手，（帮腔）忙下荷叶舟……

川剧《情探》写敫桂英对王魁思念的唱词：

……（帮腔）梨花落，杏花开，梦绕长安十二街。（独唱）梨花落，杏花开，梦绕长安十二街。夜间和露立苍苔，到晓来辗转书斋外。纸儿、笔儿、墨儿、砚儿呵，件件般般都似郎君在，泪洒空斋，（帮腔）泪洒空斋，只落得望穿秋水不见一书来。

川剧《归止楼》写一个无赖逼妻为娼，把嫖客领来家中，事成之后，无赖得银五十两。唱完“用手接银五十两”后，帮腔是“该你忘八去铺床”。

从这三个帮腔比较成功的例证来看，帮腔的位置非常自由，可以置于曲首、曲中或曲尾。帮腔的曲文可长可短，没有定制。第一例是以帮腔来帮助描绘景物，并突出人物欣喜的心情。第二例是强调渲染人物的内心情感。第三例是以第三者的身份对剧中人进行评价。一般说来，放在曲首的帮腔，常起一种预示作用，而放在曲尾的则起强调作用。以第一人称口吻帮腔，有助于揭示剧中人物的感情状态，而以第三人称口吻帮腔，可以起到同情或讥讽的作用。

早期高腔的本子，现在已很难看到。上面所举例子多出自现存的传统剧目。一般说来，现存的传统剧目大都是清代的产物，它们虽然后来经过艺人的加工，但在基本体制上应该说是没有大变，所以我们也可以用它们来以后证先地说明一定的问题。至于高腔刚从弋阳腔脱胎时的体制结构究竟是什么样子，则只能期待于新的材料的发现和进一步的研究了。

梆子腔（这里主要指山陕梆子）、皮黄腔在清代地方戏中，是对传奇体制改革幅度最大的声腔。除了口语化、通俗化之外，梆子腔和皮黄腔还有三个引人注目的特点：一是采用分场剧本的结构形式；二是采用板腔体的音乐结构形式；三是科、白地位显著提高。

分场结构打破了传奇以音乐结构为根据的传统，完全根据戏剧冲突的需要来分场；板腔体抛弃了曲牌联套体及其种种规矩限制；科、白地位的提高意味着歌唱以外其他艺术手段的更加成熟。

幸运的是，秦腔和楚曲都有比较完整的古本存留至今，使我们能够看到清代的梆子和皮黄的真实面目。我们在这里谈到采用板式变化体的地方戏的体制特征时，将以《明清戏曲珍本辑选》中所收的秦腔三种——乾隆三十八年钞本《回府刺字》、嘉庆十年钞本《画中人》、嘉庆十三年钞本《刺中山》和目前所能见到的最早的楚曲剧本五种——《英雄志》《李密降唐》《祭风台》《临潼斗宝》《青石岭》为例来加以介绍。

（一）组织结构

皮黄、梆子腔在组织结构上，吸取了传奇分出与整个剧情发展的起伏相适应的长处，而避免了传奇在分出上受到音乐结构的限制，受到套曲规则严重牵制的缺点。

梆子和皮黄戏的分场形式多样，比如秦腔《回府刺字》就由“回府”和“刺字”两场组成，每场前明标场次，并有二字标目，类似传奇的出目。而同州梆子《画中人》和《刺中山》就没有标明场次，也没有标目，似乎是连场戏，以人物上下场更换交替为自然段落。如《画中人》开始由“老生上”，郑思玄用引子和说白交代自己的身世和目前的忧虑，之后，派仆人去扬州打探滞留扬州的夫人和女儿的消息。这段故事地点在山东，当为第一场。之后紫阳真人上场，言明要在扬州作戏法，借机撮合余常明和郑琼枝的宿世姻缘。地点在扬州街上，是为第二场。然后郑琼枝母亲白氏上，交代小姐琼枝病重，并让小丫头扶小姐去花园游玩，地点在扬州船上，应为第三场。接着余常明在书房作美人画解闷，地点在扬州余府，是为第四场。这四场的人物和地点都不相同，自成段落，每场关目繁简自由，唱段多少也不均等。

楚曲则另有格局：每一种先以“册”“卷”或“回”分成若干大段，每一段落又包括多少不等、相对完整的场次。如《英雄志》共分两册四卷二十五场；《祭风台》分两册四卷二十八场。这种分法，当是延续了传奇上下卷若干出的分出形式。楚曲也有不分场的，如《李密降唐》就只分为四“回”；《临潼斗宝》也分四“回”；《青石岭》则分四“卷”，这里的“回”和“卷”，实质上与“场”一样。

楚曲无论分场、分回、分卷，都有标目，一般为四字或二字，提纲式地标识出主要内容。如《临潼斗宝》四回回目分别为“说计进宝”“晓谕各国”“上山结拜”“临潼斗宝”；《英雄志》上册诸场的标目为“报场”“诏回”“回朝”“借兵”“跑马”“练牌”“遣将”“进城”“息战”“自退”“惊骇”“奏后”“进府”。这种形式，当然也是对传奇体制的继承。楚曲中也有并不整齐划一的标目出现，如《祭风台》第一卷和第二卷各场的标目分别为“报场”“回朝”“舌战”“计议”“改阵”“借刀计”“夜逃”“中计”“二用借刀”“装呆献计”“草船借箭”。这些标目则是二字、三字、四字混用了。

从秦腔和楚曲目前所存剧目来看，梆子和皮黄戏分场（包括分回或分卷）的原则与传奇已有本质不同。梆子和皮黄戏的场次完全是根据戏剧冲突、剧情内容的需要来进行划分，基本上摆脱了音乐的束缚。因此，这应当是一种“革命”之举，“戏”终于从“曲”中解放出来了。

秦腔和楚曲的分场，包括了有不同容量和不同作用的大场子、小场子和过场。剧情简单的，比如秦腔《回府刺字》由两场组成，第一场实际上是个过场，由岳飞上场后，念一“引子”，又用简单的说白自我介绍，之后就吩咐“人马前行”，然后就下场了。第二场是一大场，内容就比较丰富了：岳母上场自我介绍、岳飞回到家中、岳母责难岳飞十二年徭剿金兵不力、讲今论古之后在岳飞背上刺字“忠孝保国”、送岳飞回军营。

剧情比较复杂的如楚曲《祭风台》，全剧有大小二十八场，大场子有《舌战》《借刀计》《夜逃》《装呆献计》《献苦肉》《祭风》《挡曹》等。这些大场的戏，情节都比较复杂，是用来刻画主要人物，表现主要矛盾冲突的部分，如《借刀计》和《献苦肉》等，就集中刻画了主要人物诸葛亮、周瑜、鲁肃、黄盖等人的性格，以及吴、蜀两家既有合作，又有矛盾的复杂关系。小场子有《计议》《改阵》《诈降》《献连环》《看病》等，这些场子容量较小，往往用来刻画次要人物，或表现冲突的次要部分：诸葛亮游说吴侯、曹操不谙水战乱指挥、黄盖诈降、阚泽下书曹营、庞统献连环计，都在这些小场子中进行交代。过场起到承上启下的连接作用。比如《回朝》一场交代水军都督周瑜奉命回朝，参加战降决策。《荐庞》一场，交代庞统奉东吴都督将令，要进曹营去献连环计，所以故意假作隐居，致使蒋干又上当，带领庞统去见曹操。这些过场虽然常是简单的、交代性的表演，唱词极少，甚或全为宾白，但它又时常与后面或前面的重要情节相关，而且，可以揭示次要人物的性格特征。

这种大场子、小场子和过场的互相穿插调配，使梆子和皮黄戏的戏曲结构可以做到丰俭适度，淋漓尽致的刻画和重要人物的大量唱段，可以由大场子来容纳，而精练的交代和简单的连接，则可用小场子和过场来完成。冷、热场相济，波澜起伏，都可由作者据对于剧情结构的处理来决定。分场剧本结构形式，对我国戏曲创作产生了极大的影响，后来的京戏和许多地方戏都采用了这种结构形式，成为与采用分出结构形式的高腔并行的两种结构形式。

分场剧本的开场比较简洁，大多免去了南戏的繁文缛节和传奇的副末开场，一开始就由剧中人上场，并进入正戏。秦腔《回府刺字》和同州梆子《画中人》《刺中山》都是如此。楚曲的开场形式，有的比较古老，在正戏开场之前还有“报场”或“报台”，形式和作用都相当于传奇的“副末开场”。例如《祭风台》“报场”：

（末上）（白）汉室英贤，孔明过江激孙权。周公瑾鄱湖水战，诸葛亮舌战群贤。蒋干过江中计，曹操自杀水军，孔明曹营借箭，徐庶兵逃潼关。黄盖苦肉把粮送，庞统巧计献连环。祭风台告星禳斗，华容道释放曹瞒。孔明一气周公瑾，保刘备驾坐荆襄。来者刘玄德！（下）

《青石岭》的“报台”是：

周氏家邦，北海起意乱朝纲。禾云庄领兵大战，扫狼烟凯歌回邦。青石岭王洪复反，草桥关王孟归降。刘文索文武举筹，九天玄女归天堂。来者刘文索。

与传奇不同的是，这开场不再是用词调，而基本上是用上下句相对称的七字韵句。长短也更加随意。也有的楚曲像秦腔一样，免了这道手续，一开场就是人物登场，正戏开始。

正戏开始时，先由上场人物用“引”和说白进行自我介绍，介绍内容包括本人身份以及与本剧剧情有关的背景材料等。“引”一般由五、七言的诗句或长短句组成。“白”则可长可短。如秦腔《回府刺字》，第一场“回府”，岳飞出场：

（引）为国尽忠保宋朝，
兵扫北番占地豪；
为人需要全忠孝，
不负皇家爵位高。
（白）本帅岳飞，扫北一十二载，今乃回朝。人马可齐？

第二场“刺字”，岳母出场：

（引）我儿征北塞
老身常挂怀
（白）老身姚氏。吾儿岳飞，身为宋室皇封大将，领兵征却金人，十二载未回；昨日有报到来，回家探望。哼！我自有道理。

前一例“引”为七言四句，第二例为五言二句，白也有短长之别。同州梆子要啰唆一些。《刺中山》开场时，李渊上场，先念七言诗四句，然后有近二百字说白，后又引七言诗一首，再有一段说白，才有“报子”上场，续下剧情。

楚曲又有不同，主要区别是“引”多用长短句，除此以外，格式与梆子基本一致。这“引”多半由曲牌进行必要的删节和剪裁改装而成。如《李密降唐秦王打围》第一回，李密上场后所念“引”为：“国乱民荒，怎奈天心顺他邦？”即由〔点绛唇〕删改而成。又如《英雄志·息站》一场，马超上场时的“引”为：“归降刘主，镇西凉，威风抖擞。”即为曲牌〔满江红〕前段改成。而如《英雄志·练牌》一场中〔点绛唇·引〕则基本上使用原曲牌作引。也有的采用整齐的五言句，如《临潼斗宝》第一回，秦穆公“引”：“威镇秦邦地，何日干戈息。”还有的于“引”之外，还要加上诗一首，如《青石岭》刘文素“引”：“位列三台奉圣君，一片丹心受皇恩。（诗）头戴乌纱双翅飘，身穿国家紫罗袍。袖内八卦乾坤大，全凭阴阳扶周朝。”就显得有些特别了。

人物第一次上场，一般都要念“引”，并有自我介绍的说白。个别的情况是人物在同一个戏的不同场次中，不止一次地使用“引”和说白，如《英雄志》第一场“诏回”和第六场“遣将”，孔明就两次用“引”和白进行自我介绍；同剧第十场“惊骇”和第二十五场“团圆”，刘禅也是两次使用“引”和白。这“引”在表演时，应当是念诵的，犹如今天京剧的表演。

梆子的一剧结尾，一般都由剧中人念诗一首作为收束，犹如传奇中的散场诗。比如《画中人》结末由生、旦念白：“两世得生拜华堂，幸喜龙凤得成双。千里姻缘今相会，何必哀哀受凄凉。”《刺中山》的结尾则由场上所有将官“同说”：“收兵卷旗角，勒马定干戈。鞭敲金镫响，一路唱凯歌。”作为煞尾。

楚曲一般不采用这种方式，只是以音乐奏一结束曲，表示收煞。诸如“排子团圆”（《英雄志》）、“排子”（《李密降唐》《临潼斗宝》）、“尾声”（《祭风台》）、“画眉序”（《青石岭》），都是如此。这可能是与秦腔《回府刺字》结尾的“吹牌子”同样，都是散场曲。

（二）音乐结构

梆子腔、皮黄腔的音乐结构，是采取上下句的板腔体。板腔体的特征是以上下句为音乐的基本结构单位，从板式上去寻求变化。板式变化主要体现在变奏中的节拍和节奏的变化上。

一般来说 ，不同板式的产生和运用，都有内在的感情依据。比如，感情缠绵的时候，内心的节奏常常是舒缓悠长的，慢板可以表现这种情绪。情绪激烈的时候，内心的节奏则趋向急促，因而就产生了流水和快板。当情绪需要充分加以倾诉的时候，那不受拘束的散板，则恰能承担这一职责。

后世的梆子剧种，一般有八种板式，包括原板、慢板、流水、快流水、紧打慢唱、倒板、散板、滚板。皮黄腔剧种也有原板、慢板、流水快板、散板、附加乐句、反调及其他各类。但在板腔体形成初期的乾隆时期，可能还没有如此完善。

板腔体以七字句、十字句为主的整齐排偶句唱词，代替了传奇的长短句。一般七言句为二、二、三结构，而十言为三、三、四结构。在梆子和皮黄戏中，唱段的长短是充分自由的，两句、四句、六句、八句乃至长到二十六句的情况都有。比如《祭风台》第一场，孔明要前往东吴游说孙权，刘备嘱孔明：

孤与你朝夕间不离左右，
到东吴必须要及早回朝。
曹孟德兵扎在三江夏口，

兵又多将又广孤实担扰。

这是十字四句的短唱，而《李密降唐秦王打围》中第一场中，王伯党唱道：

大王说话好痴迷，细听王勇把话提。
三十六人同结义，生死相顾永不离。
二劫瓦岗把祸起，大反山东惹是非。
王勇一人把唐敌，秦琼匹马取金奇。
夜夺瓦岗非容易，三日三晚拜帅旗。
咬金有福登王位，兵多将广人马齐。
阴阳八卦有徐勣，南征北战众英奇。
自从大王到此地，锦绣江山化灰泥。
提兵调将无人语，有功不赏乱胡为。
众将纷纷散了去，一个东来一个西。
耗鼠盗去仓粮米，满山喽啰似雪飞。
单剩王勇来保你，反说为臣把主欺。
倘若哪国刀兵起，祸到头来你靠谁。

这是七字二十六句的唱段。从这些唱词看，句法整齐，偶句押韵。短唱抒情，长歌抒情兼叙事，盖有咏叹与宣叙调的功能。估计当时演唱时，可能采用慢板或原板。采用偶数句是一个固定原则，即使多个角色轮唱对唱，在一个唱段中，也是偶数句。例如《李密降唐秦王打围》第一回：

（小生唱）鸿雁中了雕翎箭，百发百中不虚传。

（生上唱）昔日螳螂去捕蝉，

（净上唱）岂知黄雀在身边。

（生唱）黄雀又被金弹打，

（净唱）打弹之人被虎伤。

（生唱）猛虎跌落古井内，

（净唱）仇报仇来冤报冤。举目抬头来观看，

（生唱）一枝箭雁落马前。

这是生、小生和净的不规则轮唱，有人唱一句，有人唱二句，但一共十句，总数还是偶数句。若唱段中安排有“倒板”，那么在这一句“倒板”之后，必有奇数句与倒板仍凑为偶数句。如《英雄志》第二十一场“乘舟”：

（净内唱倒板）为王的离龙巢仪銮簇拥……

（净唱）黄罗伞罩定了河泊寒风，
为吴蜀结联合兵下南郡。
因此上带文武御驾亲征。

一句倒板和三句原板或慢板，组成四句。当然，在今存的古本秦腔和楚曲中，也偶有奇数句出现，那应当是早期体式不严格，或剧本在流布中误刊所致。

从今存秦腔和楚曲古本来看，唱段绝大多数都未注明板式，只有“倒板”有时注明。这当然是不完整的表现，即使对于文学剧本来说，也是如此。但是，我们可以断定，这些剧目在乾隆时代演出时，在板式上可能并不是很固定，而是有多种变化的。比如《刺中山》薛万江有唱词：

有万江坐中营忙传将令，
叫众弟一个个须当细听。
一个个头戴盔身披铠甲，
一个个弓箭满刀刃利锋。
勒住马听号炮休得胆战，
擂动鼓放恶心一齐前征。
到阵前若拿住元吉贼子，

将小儿一定要活上油铛。

传罢令怒气冲冲，

将宝剑忙拿手中。

哪一个违兄将令，

斩首级绝不容情。

从文辞内容看，前面的十字句的情绪要比后面的七字句平稳舒缓，演唱时也当有一个从缓到急的变化。如果前面是慢板或原板，那么，后面可能就转成了流水和快流水。一般来说，倒板应产生在一些基本板式之后。既然楚曲中有倒板出现，我们就有理由认为诸如原板、快板一类的板式已经较为成熟了。

板式变化体这种唱腔体式，其源头可以追寻到唐代俗讲的偈赞词、宋代说唱中的诗赞和元明词话中的攒十字。这条线索与词曲一道可以算是俗雅殊途。传奇变化为板式变化体，显然得益于向前一线索的借鉴。但当相当雅化了的传奇又转而向民间俗文学从形式到内容进行大幅度的借鉴时，就已不是简单的回归了。

地方戏是在传统戏曲所积累的成功经验的基础上，在保存各种表现手段综合运用的技术技巧的基础上，从接受者的需要出发，在一个比较高的层次上，向俗文学汲取营养。这使地方戏的板式变化体，无论从任何一个角度上讲，都不可以与唐宋的俗讲、说唱等量齐观。这种变化只能理解为是一种突破、革新和发展。

传奇是依赖曲调变化，依赖各种曲调不同的声情来表现不同人物性格、不同场面情绪的。这种表现方法，虽然在传奇中一度达到臻于至善的地步，但随之产生的复杂的联套问题，却一直构成创作和演出中经常遇到的一个难题。为了这音乐结构的完整，作者常要对情节内容做出“牺牲”。当几百年的戏曲向人们揭示出，音乐戏剧性的基础主要在于节奏变化这一重要的艺术规律时，中国戏曲在音乐上、文学结构上就发生了重大的变化——出现了板腔体的崛起。事实上，音乐的节奏变化，与人的内心活动关系是密切的。例如：叹息是悠长的、欢乐是跳跃的、激怒表现为急促、诡秘表现为徘徊不定……板式音乐正是将节奏变化作为概括各种戏剧情绪的基本手段，充分发挥了它的戏剧功能。

板式变化体虽然采用的曲调并不繁多，但却运用不同的节拍、节奏，繁衍出变化多端的旋律，从而可以体现不同的情绪。同时，这些变化繁多的各种板式曲调，既然是从同一个音调素材里变奏发展而成，它本身也就不存在什么联套问题，无须借助于宫调的规范，从文学创作上看，问题要简单得多了。

与曲牌音乐在多样变化中求得统一的特点不同，板式音乐是以从单纯中求多样变化为其特点的。板式音乐的这种单纯性和易解性以及丰富性，从某种角度说，比联曲体是一种进步，清代乾、嘉之后，板式变化体的剧种不断增多，就是对这种进步的肯定。

（三）曲文、宾白、科介、角色

清代地方戏从题材内容到表演形式，都形成了自己的特点。源于民间艺术的、土生土长的民间小戏和表现重大历史事件、军事斗争以及民间英雄传说的大型戏剧，成为清代地方戏的两大主流，彻底改变了明代戏曲“十部传奇九言情”的格局。

民间小戏多以小旦、小丑、小生为主要角色，又称“二小戏”或“三小戏”，内容是表现日常生活的场景或是抒情歌舞；大型戏剧是在传统深厚的古老剧种的基础上演变而成的。前者重于歌舞调笑，后者重于敷演情节。

《缀白裘》六集和十一集中收有许多民间杂调小戏和一些大型戏剧的零折。《买胭脂》《阴送》《搬场拐妻》《借靴》《挡马》等都属于前者。而“败虏”“屈辱”“计陷”“血疏”“乱箭”“哭夫”“显灵”等，则是《淤泥河》的散折，属于后者。“乾隆甲午季春金陵许道承渭森氏”所作第十一集“序”云：“且夫戏也者，戏也；固言乎其非真也。而世之好为昆腔者，率以搬演故实为事，其间忠臣孝子、义夫节妇、奸谗佞恶、悲欢欣戚，无一不备。然设或遇乱头粗服之太甚，豹声蜂目之叵耐，过目遇之，辄令人作数日恶……若夫弋阳梆子秧腔则不然：事不必皆有征，人不必尽可考。有时以鄙俚之俗情，入当场之科白；一上氍毹，即堪捧腹……抑吾更有喻者，诗之为风也，有正有变；史之为体也，有正有逸；戏亦何独不然？然则戏之有弋阳梆子秧腔，即谓戏中之变、戏中之逸也，亦无不可。”“乾隆岁次庚寅季春上浣桃坞叶宗宝”所作第六集“序”云：“词之一体，由来旧矣，未有不登雅而斥俗，去粗而用精，每为文人学士所玩，不为庸夫愚妇所好也。若夫随风气而转移，任人心所感发，词既殊于古昔，歌亦逊于畴曩，非关阳春白雪，仅如下里巴人，一时步趋，大抵皆然。”

这两段“序”大体概括了清代地方戏与明代以昆腔为代表的传奇在题材内容和文辞两方面的差异。指出清代地方戏如梆子秧腔之类表演的杂戏，内容常为事不可征、人不可考的鄙俚俗情，文辞仅如下里巴人，不登大雅，但却是一上氍毹，即堪捧腹的娱乐节目。那些以历史、军事题材为内容的大戏，虽然在规模上和内容上与小戏不同，但它在重于叙事，轻于抒情，弃雅而趋俗的主要特征上，与小戏是相同的。因此，清代地方戏（包括小戏和大戏）的曲文、说白及科介都产生了与传奇不同的相应的变化。

曲文使用口语化的文学语言是变化之一。

这一点在板腔体文学剧本中表现得更为突出。我们可以举三个例子做一下比较：

〔绕池游〕（旦上）梦回莺啭，乱煞年光遍。人立小庭深院。（贴）注尽沈烟，抛残绣线，恁今春关情似去年。

——《还魂记·惊梦》

〔借黄花〕奴家命恁穷，此身无所用。织绢更缉麻，得人知重。感得，诸天打供，又遭遇李大公。柴米有时无，教小二频赍送。今夜起朔风，苦也，如何忍冻。

——《张协状元》第六出

（旦下画唱）一天疾病遭了休，这般轻盈任风流。小斋无人我自乐，人来画中去藏躲。每日不食也不渴，哪有饥渴存心头。要回家去不知路，思想爹娘越加愁。

——《画中人》

传奇《还魂记》杜丽娘的唱词，是文采斐然意境含蓄的书面语，案头欣赏，美不胜收，但听起来对多数观众会有障碍。宋南戏《张协状元》王贫女的曲文基本上是口语，听起来可能易懂，但又失之鄙俚，如“柴米有时无，教小二频赍送”之类，确实观之不雅。《画中人》中琼枝的唱词，就避免了过雅和过俗的弊病，虽为白话，但又不是未经加工的口语，而是富于文学性的白话，体现了致力于寻找雅与俗的交汇点的意向。虽然做到这一点并不很容易。

曲文功能扩展，是变化之二。

曲文原本主要用于抒情，表现人物心理活动。在板腔体中，则不仅用于抒情，而且更多地用于叙事，甚至还用来表现人物之间的矛盾冲突，而这原来是由宾白承担的。例如《李密降唐双带箭》，叙述李密投唐后被招为驸马，但他觊觎皇位之心不死，后杀死河阳公主，与王伯当逃出京城，王伯当追问李密事情的前因后果，二人有一组对唱，颇为著名。这一段全是用唱腔来叙事和展开表现王伯当与李密之间的冲突、争论的，内容包括：王伯当问李密杀死公主的原因、李密回述他与公主的争执和杀公主的经过、王伯当回忆瓦岗寨星散的过程，谴责李密以怨报德的禽兽行为，之后二人争论古往今来谋王篡位者的利与害。大段的生、净对唱，不仅表现出两个人都在剧烈变化着的心情，而且向观众交代了许多背景事件，这种交代有点像说唱，但却是用第一人称来叙述。

当然，传奇中的曲文也并非全是用来抒情，用以叙事乃至用以表现人物之间的关系，包括争论的都有先例，如《鸣凤记·二相争朝》，但一般都是曲文和宾白掺和并用，少有像清代地方戏这样，全用曲文驳诘辩难，而且取得了很好的效果。

曲文的动作性加强，是变化之三。

例如梆子腔《买胭脂》：

〔梆子腔〕一程行来到街坊上，走长街，复穿小巷，早来到那人家。遥望，早见那招牌儿京样……恨不得一口将他吞。且上前施礼殷勤，且上前施礼殷勤。

伴随这段唱词，人物要有穿街走巷的表示，来到胭脂店看到招牌的动作，恨不得将卖胭脂姑娘吞下去的表情，殷勤施礼的科泛。

又如《祭风台》第二十五场“挡曹”曹操唱词：

（唱导板）曹孟德在马上长吁短叹，手捶胸眼流泪口怨苍天……我只说数九天东风少欠，又谁知诸葛亮力可回天。烧得我兵和将唇焦额烂，只剩得十八骑好不惨然！曹孟德在马上笑开怀，呵哈哈哈！

……

（净唱）笑只笑周郎做事呆，孔明胸中无大才。此地埋伏十骑马，杀得你我无地埋。这一言未尽人呐喊，想必此地有安排。

……

（唱）听说来了关美髯，愁人脸上改笑颜。走近前来把礼见，君侯许昌一别有数年。

这段曲文用曹孟德自言自语的形式，表现了他由沮丧到狂喜，转而又惊愕失望，然后又小心翼翼地怀有希望的复杂感情变化，其间的动作性也非常明显。曲文富于动作性当然也并非始于清代地方戏，从南戏、杂剧起，就有此传统。但清代地方戏曲文这方面的特点更加突出，表现了动作与唱词更加密切的融合。

可能是演出实践启发了作者和演员，使他们逐渐认识到宾白、科介在戏曲中的重要地位以及它们远未发挥出来的潜在力量。清代戏曲作家兼戏班班主李渔，郑重其事地论列过宾白的重要："自来作传奇者，止重填词，视宾白为末着……予窃怪之……故知宾白一道，当与曲文等视。有最得意之曲文，即当有最得意之宾白。但使笔酣墨饱，其势自能相生。"（《闲情偶寄》）当然这段话的意思也还是从曲文着眼的。它是把宾白当作曲文的辅助部分来谈宾白的重要性。事实上，在实践中，清代地方戏充分地意识到说白和动作是塑造人物、发展情节的重要手段，并使宾白和科介在戏曲中取得了空前重要的地位。

在传奇中，没有曲文的场面是比较罕见的，因为一出之中，照例应当有一套曲子。地方戏则不然。它在曲文的安排上取得了很大的自由。一些场子不用唱词，只用说白和科介来展开戏剧冲突，同样可以取得成功。清代地方戏有的以曲为主，如今存楚曲《李密降唐》《青石岭》，梆子秧腔《问路》《雪拥》《点化》等。有的曲、白并重，如梆子秧腔《买胭脂》《花鼓》《戏凤》，同州梆子《画中人》《刺中山》等。也有的竟是以白为主，如楚曲大戏《英雄志》和《祭风台》。

《英雄志》共计大小二十六场，其中只有科白而无曲文的有六场，只有一支引，或有一引一曲的十场，加起来共十六场，占了全戏的五分之三。剩下的十场，虽然曲文的多寡不同，真正可以算是以唱为主的场次，只有《息战》《惊骇》《观鱼》《说吴》《天辩》几场。

《祭风台》共计二十八场，只有科白而无曲文的有七场，以白为主的有十一场，约占全剧的三分之二。其中重要的大场如《舌战》，表演诸葛亮舌战群儒，虽然诸葛亮有四段唱词，每段四句，但主要论辩内容，都是靠说白来完成的。它如《计议》一场，演诸葛亮游说吴侯；《改阵》一场，演曹操不谙水军，却乱指挥；《借刀计》演蒋干过江，全是非常重要的关目情节，都是主要靠说白和科介来完成的。有时，一段文字不多的说白和科介，包含了极丰富的表演内容。如《借刀计》结末：

（丑）（白）咳咳咳！（正旦白）仁兄可还饮酒？（丑白）酒已厚了。（正旦白）久不曾与仁兄同宿，今晚抵足而眠，来！（手下来）有！（正旦白）搀扶蒋先生后帐歇息。（手下白）哦！（扶丑下）（正旦白）鲁肃听令！（外白）何令？（正旦白）蒋干逃走，不必阻拦。（外白）得令。（下）（正旦白）黄公覆听令！（末白）何令？（正旦白）三更时分来报（末白）报什么？（正旦白）附耳上来！如此如此，恁般恁般！（末

白）是！（下）（净白）交令！（下）（正旦白）掩门（吹打，同下）

内容有蒋干懊丧不能启口游说、周瑜劝酒、蒋干推辞、周瑜要与蒋干同宿、吩咐手下人把蒋干搀入后帐、周瑜令鲁肃不要阻拦蒋干逃走、又令黄公覆三更时来谎报军情，以为惑敌之计。这段戏从文字上看没有太精彩的地方，但表演起来，应当是有声有色的：有人设计、有人上当、有人传令、有人执行，有人心情兴奋，有人懊悔沮丧，高声下令，附耳低言，人物的情态、动作、表情都有诸多变化，而且动作密度很大。

又如《中计》一场结末，曹操杀了蔡、张之后，马上意识到自己中了东吴借刀杀人之计，已经后悔不及，蒋干却还梦想自己要得到升赏：

（丑白）丞相！这场大大功劳，多亏了我蒋干吓！（净白）呀呸！

这简单的对白，把蒋干事过不知的愚蠢，希望讨赏的妄想，曹操事过方知、又恼又悔的愤怒，不屑向蒋干说明的鄙弃，都表现得淋漓尽致。

《英雄志》和《祭风台》之所以以科白为主要艺术手段，它的重说白、重做功的特点的形成，自有其先天的原因。这两个戏都取材于《三国演义》和有关三国的传说，故事情节比较曲折，用科、白来进行表演无疑是最方便的途径。

无论如何，以科白为主要表演手段的剧目的出现，有科白无曲文的单场戏的出现，都说明了说白与科介这些艺术方法的成熟和地位的提高。

地方戏中，不仅有以韵文为基础的音乐演唱，有接近于自然口语的念白，而且还有一种介乎唱、念之间的诗词朗诵韵文出现。这种形式在传奇和杂剧中，一般都是以定场诗或散场诗的形式出现，起到一种评价或总结的作用。而在清代地方戏中，这种诗词朗诵形式已经开始演变成为剧中人物直接的语言动作了。比如《阴送》中杨七郎上场念："生前勇猛呈英豪，死后灵魂志尚高。花标杆上遭冤害，今在幽州掌狱曹。"这起到了自报家门的作用。《借妻》中旦上场念："来了。奴家生来命运蹇，不曾相配好良缘，穿吃二字全不顾，那得风光过一年。"则表现了一种内心的活动和情感状态。《英雄志·练牌》一场，孟获念诵四句："生来雄貌似金刚，两肩勇力胜虎狼，身居化小须然乐，欲夺中原作帝邦。"带有人物性格特色，与后面的自我介绍"孤，孟获，自幼生长南蛮，霸土九溪十八洞，称为南王……”韵散相间，表现出一种特别的风韵。《遣将》一场，魏延上场时念的“丞相传暗令，必有机密情”，表现了人物具体的心理活动。《助战》一场，曹丕吃了败仗后的下场诗，“汲尽湘江水，难洗满脸羞”，表现了人物当时的心理活动、感情状态……把诗的朗诵，作为剧中人“自白”的一种形式，与散文式说白交叉使用，使宾白更有变化，也使诗成为戏剧化、舞台化的诗体宾白。这也可以算是地方戏对杂剧、传奇体制的一个发展吧！

在科介方面，清代地方戏的武戏和武打场子成为引人注目的部分，这当然与清代地方戏中历史、政治、军事斗争题材的剧目骤增有关。

元杂剧中早有所谓“调阵科”，这可能是用一种比较简单的队形变化来虚拟性地表演征战。传奇中的武打就有了进一步发展。《雁翎甲》中时迁盗甲、《虎囊弹》中醉打山门、《水浒记》中宋江杀惜、《义侠记》中武松杀嫂，都并非简单的示意性动作所能完成。但由于昆曲是载歌载舞的形式，这些武戏场面常常由舞蹈化了的动作来表现。清代地方戏则熔杂技、武术和舞蹈为一炉，舞台上出现了货真价实的相扑跌打的武斗场面。如《偷鸡》中的“藏鸡”“倒睡椅上”、（在椅上）“翻身”“换帽”等，都是一种表现具体规定情节的武功特技。《打店》中，孙二娘与武松的打斗煞是热闹，即使从剧本上也能反映出来：

（看两边门角，摸门，用簪拨门闩，双手掇左右两边门摸进，坐地听，又摸生脚，踢跌出门，飞脚下）（生跳下台，将手扭膝碎，上台立介）（贴持刀上，插地坐起，看两角，将刀拨门，直刺进去，生跳下，用扭打，刀各落地）（生、贴打黑拳一路，生踢贴下，生摸出门拾刀，贴持棍上，打落刀，生踢落贴棍，踢贴捧阴户下，生追下）

这是黑夜的“暗斗”，之后还有明打：

（贴又双刀上，开四门下）（生持棍上，净亦持棍上，对打几合，贴使双刀上，三人共打，换棍打，生打净落棍跌倒，生接贴棍，贴跌爬净身上，生右脚踏贴背上）

这场武打设计得相当复杂，而且是按照生活的逻辑顺序进行的合理安排，既狠且巧；既热闹，又真实，既完成了规定的情节，又使人欣赏了精彩的打斗场面。

在规模巨大的历史、军事题材的戏曲中，武打就更不可避免，不过又是另一番景象。如《祭风台》火烧赤壁“发兵”一场，先放“烟火爆竹”之后：

（生同杂杀，生败下；杂追上又下）

（丑同末杀，丑败下；末追上又下，四手下）……

（杀介）（净杂丑败下）

不同组合的追杀，构成大规模的武打场面。这些简单的舞台指示，却向我们昭示出在清代地方戏中，以武打为主的戏曲或戏曲片段已经形成。

清代地方戏所由组成的民间地方小戏和地方大戏两个系统，形成了两个不同的角色分工体制。

由民间说唱、歌舞发展起来的地方小戏的角色体制，基本上是“二小”或“三小”的规模。“二小”指“小旦”和“小生”或“小旦”和“小丑”，“三小”指“小生”“小丑”“小旦”。都是扮演性格活泼的青年男女。

“二小戏”多为喜剧，不仅小丑为喜剧角色，小旦也近乎花旦的性质，和昆曲中的“贴旦”近似。乱弹腔《挡马》（见《缀白裘》第十一集）就是二小戏的规模，不过焦光普不作“小丑”，而作“副”罢了。

“三小戏”虽只加入一个“小生”，却使戏曲改变了喜剧性，带有了正剧的性质。小生是正剧角色，小丑是喜剧角色，小旦要兼有两种性质。梆子秧腔《买胭脂》（见《缀白裘》第六集）就属于“三小戏”。

民间大戏沿袭了昆、弋角色体制的规模和艺术成就，又有突破和发展，超出“江湖十二角色”的规模体制，出现了新的角色分工。比如楚曲《英雄志》就出现了十四种角色：外、末、正生、老生、小生、夫、贴旦、正旦、净、二净、花脸、副、丑、杂。

比起传奇来，清代地方戏的生行和净行有了更细致的分别。生行角色由于擅长武打而得到丰富，净行角色由于富于变化而得到发展。今存人物最多的戏中尽管角色已有十四种之多，仍然不能尽如人意地涵盖所有的人物类型，常出现正旦扮演陆逊（《英雄志》）、周瑜（《祭风台》）这样的年轻统帅；贴旦扮演宝儿（《回门》）这样的未成年男子的情况，亦可见其变通和灵活。

清代地方戏的种类、数量无法统计，各种地方戏之间的角色类型也会有许多差别。目前保存下来的一些清代戏曲剧本，不过是清代地方戏中很少的一部分。所以，要想厘清清代地方戏角色分工这笔细账，几乎是不可能的事。但是，我们可以断定：清代地方戏的角色类型一定超过了十四种，分工也一定比传奇更加细密和科学。因为行当的发展，一定是与戏曲进步形影相随的。

结束语

对于中国戏曲发展的考察和审视，可以从不同的角度进行。从戏曲舞台表演方面看，可以指出它是多种表演手段不断完善、综合的过程；从正统文学和俗文学的关系上着眼，它是正统文学与俗文学的一个衔接点，它不断从这两方面得到变革、发展的活力；如果从文体演变的角度来审视，它综合了我国抒情、叙事等各种文体的特点，经历了向抒情代言体的漫长的演变过程。

上述戏曲文体嬗变的历史，向我们昭示了中国戏曲发展的独特道路和独特演变方式——一个经过了两度自我否定的辩证发展的方式。从最初百戏杂陈的最简单、最原始的初级结合，过渡到以音乐为主体的对各种艺术因素的综合，然后又发展成各种艺术手段的高度完善与融合。如果说第一阶段的百戏杂陈还只是各种艺术方式，包括歌、舞、杂伎、武术、滑稽表演的一种松散、游离的集合体，那么，第二阶段的杂剧、传奇已经发生了质变，各种艺术方式也已经形成以音乐为主的有机结合。舞蹈、杂伎、武术、滑稽表演已化为舞蹈动作，武打、科介和宾白，成为一种辅助性的戏曲组成部分。第三阶段的变化，否定了“以音乐为主”的结合方式，使音乐失去了主体地位，而其他戏曲因素、表演手段则发展、完善成为可以与音乐歌唱等量齐观的戏曲要素，从而达到一种真正的戏剧化的综合，这不是向第一阶段的简单回归，而是一种扬弃、一种创新。

在这戏曲演变发展的过程中，文体本身的变化，总是和艺术表演参错杂处，不可分割。有时，文体的变化与表演互为因果，有时，表演的本身又限制了文体的发展趋势。因此，我们在谈到戏曲文体变化时，是不能完全回避戏曲表演艺术的。

么书仪

国家新闻出版广电总局

首届向全国推荐中华优秀传统文化普及图书

大家小书书目

国学救亡讲演录	章太炎　著　蒙　木　编
门外文谈	鲁　迅　著
经典常谈	朱自清　著
语言与文化	罗常培　著
习坎庸言校正	罗　庸　著　杜志勇　校注
鸭池十讲（增订本）	罗　庸　著　杜志勇　编订
古代汉语常识	王　力　著
国学概论新编	谭正璧　编著
文言尺牍入门	谭正璧　著
日用交谊尺牍	谭正璧　著
敦煌学概论	姜亮夫　著
训诂简论	陆宗达　著
金石丛话	施蛰存　著
常识	周有光　著　叶　芳　编
文言津逮	张中行　著
经学常谈	屈守元　著
国学讲演录	程应镠　著
英语学习	李赋宁　著
中国字典史略	刘叶秋　著
语文修养	刘叶秋　著
笔祸史谈丛	黄　裳　著
古典目录学浅说	来新夏　著
闲谈写对联	白化文　著
汉字知识	郭锡良　著
怎样使用标点符号（增订本）	苏培成　著
汉字构型学讲座	王　宁　著

诗境浅说	俞陛云　著
唐五代词境浅说	俞陛云　著
北宋词境浅说	俞陛云　著
南宋词境浅说	俞陛云　著
人间词话新注	王国维　著　滕咸惠　校注
苏辛词说	顾　随　著　陈　均　校
诗论	朱光潜　著
唐五代两宋词史稿	郑振铎　著
唐诗杂论	闻一多　著
诗词格律概要	王　力　著
唐宋词欣赏	夏承焘　著
槐屋古诗说	俞平伯　著
词学十讲	龙榆生　著
词曲概论	龙榆生　著
唐宋词格律	龙榆生　著
楚辞讲录	姜亮夫　著
读词偶记	詹安泰　著
中国古典诗歌讲稿	浦江清　著 浦汉明　彭书麟　整理
唐人绝句启蒙	李霁野　著
唐宋词启蒙	李霁野　著
唐诗研究	胡云翼　著
风诗心赏	萧涤非　著　萧光乾　萧海川　编
人民诗人杜甫	萧涤非　著　萧光乾　萧海川　编
唐宋词概说	吴世昌　著
宋词赏析	沈祖棻　著
唐人七绝诗浅释	沈祖棻　著
道教徒的诗人李白及其痛苦	李长之　著
英美现代诗谈	王佐良　著　董伯韬　编
闲坐说诗经	金性尧　著
陶渊明批评	萧望卿　著

古典诗文述略　　吴小如　著
诗的魅力
——郑敏谈外国诗歌　　郑　敏　著
新诗与传统　　郑　敏　著
一诗一世界　　邵燕祥　著
舒芜说诗　　舒　芜　著
名篇词例选说　　叶嘉莹　著
汉魏六朝诗简说　　王运熙　著　董伯韬　编
唐诗纵横谈　　周勋初　著
楚辞讲座　　汤炳正　著
汤序波　汤文瑞　整理
好诗不厌百回读　　袁行霈　著
山水有清音
——古代山水田园诗鉴要　　葛晓音　著

红楼梦考证　　胡　适　著
《水浒传》考证　　胡　适　著
《水浒传》与中国社会　　萨孟武　著
《西游记》与中国古代政治　　萨孟武　著
《红楼梦》与中国旧家庭　　萨孟武　著
《金瓶梅》人物　　孟　超　著　张光宇　绘
水泊梁山英雄谱　　孟　超　著　张光宇　绘
水浒五论　　聂绀弩　著
《三国演义》试论　　董每戡　著
《红楼梦》的艺术生命　　吴组缃　著　刘勇强　编
《红楼梦》探源　　吴世昌　著
《西游记》漫话　　林　庚　著
史诗《红楼梦》　　何其芳　著
王叔晖　图　蒙　木　编
细说红楼　　周绍良　著
红楼小讲　　周汝昌　著　周伦玲　整理

曹雪芹的故事	周汝昌　著　周伦玲　整理
古典小说漫稿	吴小如　著
三生石上旧精魂 ——中国古代小说与宗教	白化文　著
《金瓶梅》十二讲	宁宗一　著
中国古典小说十五讲	宁宗一　著
古体小说论要	程毅中　著
近体小说论要	程毅中　著
《聊斋志异》面面观	马振方　著
《儒林外史》简说	何满子　著
我的杂学	周作人　著　张丽华　编
写作常谈	叶圣陶　著
中国骈文概论	瞿兑之　著
谈修养	朱光潜　著
给青年的十二封信	朱光潜　著
论雅俗共赏	朱自清　著
文学概论讲义	老　舍　著
中国文学史导论	罗　庸　著　杜志勇　辑校
给少男少女	李霁野　著
古典文学略述	王季思　著　王兆凯　编
古典戏曲略说	王季思　著　王兆凯　编
鲁迅批判	李长之　著
唐代进士行卷与文学	程千帆　著
说八股	启　功　张中行　金克木　著
译余偶拾	杨宪益　著
文学漫识	杨宪益　著
三国谈心录	金性尧　著
夜阑话韩柳	金性尧　著
漫谈西方文学	李赋宁　著
历代笔记概述	刘叶秋　著

周作人概观	舒　芜　著
古代文学入门	王运熙　著　董伯韬　编
有琴一张	资中筠　著
中国文化与世界文化	乐黛云　著
新文学小讲	严家炎　著
回归，还是出发	高尔泰　著
文学的阅读	洪子诚　著
中国文学1949—1989	洪子诚　著
鲁迅作品细读	钱理群　著
中国戏曲	么书仪　著
元曲十题	么书仪　著
唐宋八大家——古代散文的典范	葛晓音　选译

辛亥革命亲历记	吴玉章　著
中国历史讲话	熊十力　著
中国史学入门	顾颉刚　著　何启君　整理
秦汉的方士与儒生	顾颉刚　著
三国史话	吕思勉　著
史学要论	李大钊　著
中国近代史	蒋廷黻　著
民族与古代中国史	傅斯年　著
五谷史话	万国鼎　著　徐定懿　编
民族文话	郑振铎　著
史料与史学	翦伯赞　著
秦汉史九讲	翦伯赞　著
唐代社会概略	黄现璠　著
清史简述	郑天挺　著
两汉社会生活概述	谢国桢　著
中国文化与中国的兵	雷海宗　著
元史讲座	韩儒林　著

魏晋南北朝史稿	贺昌群　著
汉唐精神	贺昌群　著
海上丝路与文化交流	常任侠　著
中国史纲	张荫麟　著
两宋史纲	张荫麟　著
北宋政治改革家王安石	邓广铭　著
从紫禁城到故宫 ——营建、艺术、史事	单士元　著
春秋史	童书业　著
明史简述	吴　晗　著
朱元璋传	吴　晗　著
明朝开国史	吴　晗　著
旧史新谈	吴　晗　著　习　之　编
史学遗产六讲	白寿彝　著
先秦思想讲话	杨向奎　著
司马迁之人格与风格	李长之　著
历史人物	郭沫若　著
屈原研究（增订本）	郭沫若　著
考古寻根记	苏秉琦　著
舆地勾稽六十年	谭其骧　著
魏晋南北朝隋唐史	唐长孺　著
秦汉史略	何兹全　著
魏晋南北朝史略	何兹全　著
司马迁	季镇淮　著
唐王朝的崛起与兴盛	汪　篯　著
南北朝史话	程应镠　著
二千年间	胡　绳　著
论三国人物	方诗铭　著
辽代史话	陈　述　著
考古发现与中西文化交流	宿　白　著
清史三百年	戴　逸　著

清史寻踪	戴　逸　著
走出中国近代史	章开沅　著
中国古代政治文明讲略	张传玺　著
艺术、神话与祭祀	张光直　著
	刘　静　乌鲁木加甫　译
中国古代衣食住行	许嘉璐　著
辽夏金元小史	邱树森　著
中国古代史学十讲	瞿林东　著
历代官制概述	瞿宣颖　著

宾虹论画	黄宾虹　著
中国绘画史	陈师曾　著
和青年朋友谈书法	沈尹默　著
中国画法研究	吕凤子　著
桥梁史话	茅以升　著
中国戏剧史讲座	周贻白　著
中国戏剧简史	董每戡　著
西洋戏剧简史	董每戡　著
俞平伯说昆曲	俞平伯　著　陈　均　编
新建筑与流派	童　寯　著
论园	童　寯　著
拙匠随笔	梁思成　著　林　洙　编
中国建筑艺术	梁思成　著　林　洙　编
沈从文讲文物	沈从文　著　王　风　编
中国画的艺术	徐悲鸿　著　马小起　编
中国绘画史纲	傅抱石　著
龙坡谈艺	台静农　著
中国舞蹈史话	常任侠　著
中国美术史谈	常任侠　著
说书与戏曲	金受申　著
世界美术名作二十讲	傅　雷　著

中国画论体系及其批评	李长之　著
金石书画漫谈	启　功　著　赵仁珪　编
吞山怀谷	
——中国山水园林艺术	汪菊渊　著
故宫探微	朱家溍　著
中国古代音乐与舞蹈	阴法鲁　著　刘玉才　编
梓翁说园	陈从周　著
旧戏新谈	黄　裳　著
民间年画十讲	王树村　著　姜彦文　编
民间美术与民俗	王树村　著　姜彦文　编
长城史话	罗哲文　著
天工人巧	
——中国古园林六讲	罗哲文　著
现代建筑奠基人	罗小未　著
世界桥梁趣谈	唐寰澄　著
如何欣赏一座桥	唐寰澄　著
桥梁的故事	唐寰澄　著
园林的意境	周维权　著
万方安和	
——皇家园林的故事	周维权　著
乡土漫谈	陈志华　著
现代建筑的故事	吴焕加　著
中国古代建筑概说	傅熹年　著
简易哲学纲要	蔡元培　著
大学教育	蔡元培　著
	北大元培学院　编
老子、孔子、墨子及其学派	梁启超　著
春秋战国思想史话	嵇文甫　著
晚明思想史论	嵇文甫　著
新人生论	冯友兰　著

中国哲学与未来世界哲学	冯友兰　著
谈美	朱光潜　著
谈美书简	朱光潜　著
中国古代心理学思想	潘　菽　著
新人生观	罗家伦　著
佛教基本知识	周叔迦　著
儒学述要	罗　庸　著　杜志勇　辑校
老子其人其书及其学派	詹剑峰　著
周易简要	李镜池　著　李铭建　编
希腊漫话	罗念生　著
佛教常识答问	赵朴初　著
维也纳学派哲学	洪　谦　著
大一统与儒家思想	杨向奎　著
孔子的故事	李长之　著
西洋哲学史	李长之　著
哲学讲话	艾思奇　著
中国文化六讲	何兹全　著
墨子与墨家	任继愈　著
中华慧命续千年	萧萐父　著
儒学十讲	汤一介　著
汉化佛教与佛寺	白化文　著
传统文化六讲	金开诚　著　金舒年　徐令缘　编
美是自由的象征	高尔泰　著
艺术的觉醒	高尔泰　著
中华文化片论	冯天瑜　著
儒者的智慧	郭齐勇　著
中国政治思想史	吕思勉　著
市政制度	张慰慈　著
政治学大纲	张慰慈　著
民俗与迷信	江绍原　著　陈泳超　整理

政治的学问	钱端升　著	钱元强　编
从古典经济学派到马克思	陈岱孙　著	
乡土中国	费孝通　著	
社会调查自白	费孝通　著	
怎样做好律师	张思之　著	孙国栋　编
中西之交	陈乐民　著	
律师与法治	江　平　著	孙国栋　编
中华法文化史镜鉴	张晋藩　著	
新闻艺术（增订本）	徐铸成　著	
经济学常识	吴敬琏　著	马国川　编
中国化学史稿	张子高　编著	
中国机械工程发明史	刘仙洲　著	
天道与人文	竺可桢　著	施爱东　编
中国医学史略	范行准　著	
优选法与统筹法平话	华罗庚　著	
数学知识竞赛五讲	华罗庚　著	
中国历史上的科学发明（插图本）	钱伟长　著	

出版说明

“大家小书”多是一代大家的经典著作，在还属于手抄的著述年代里，每个字都是经过作者精琢细磨之后所拣选的。为尊重作者写作习惯和遣词风格、尊重语言文字自身发展流变的规律，为读者提供一个可靠的版本，“大家小书”对于已经经典化的作品不进行现代汉语的规范化处理。

提请读者特别注意。

北京出版社